Como Bento repara o crivo que estava quebrado

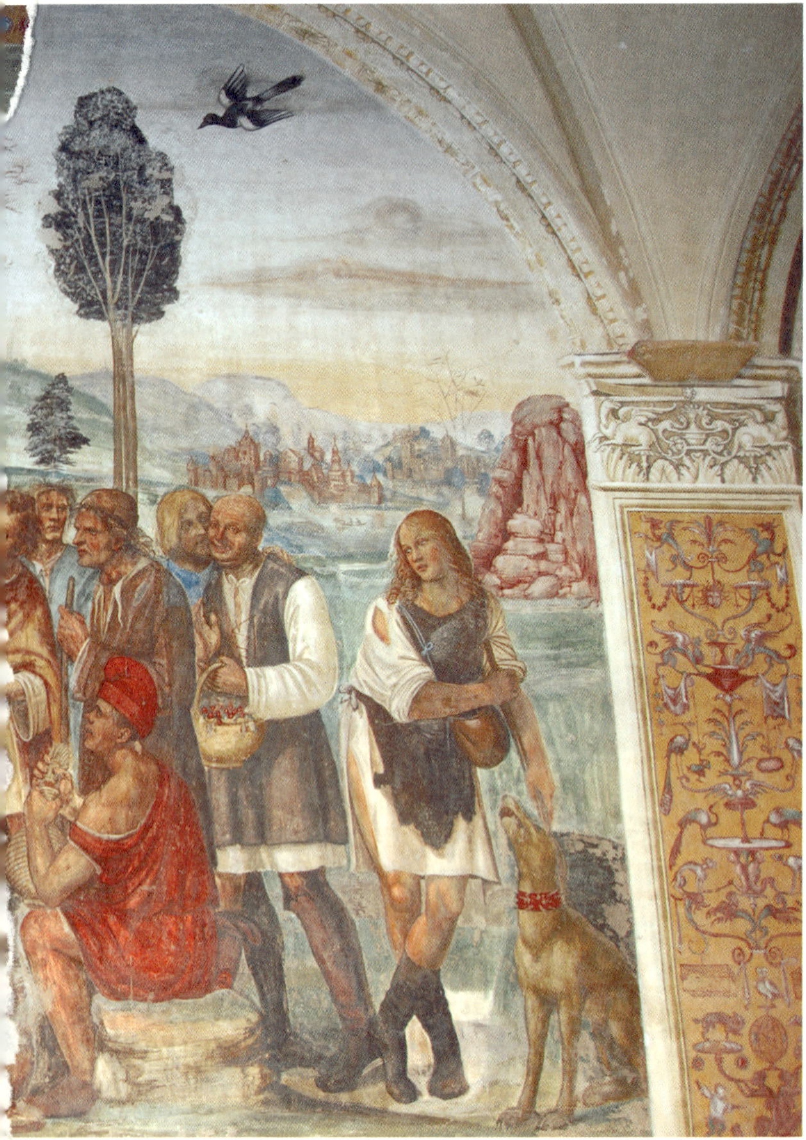

Como Bento instrui na sagrada doutrina os camponeses que o visitam

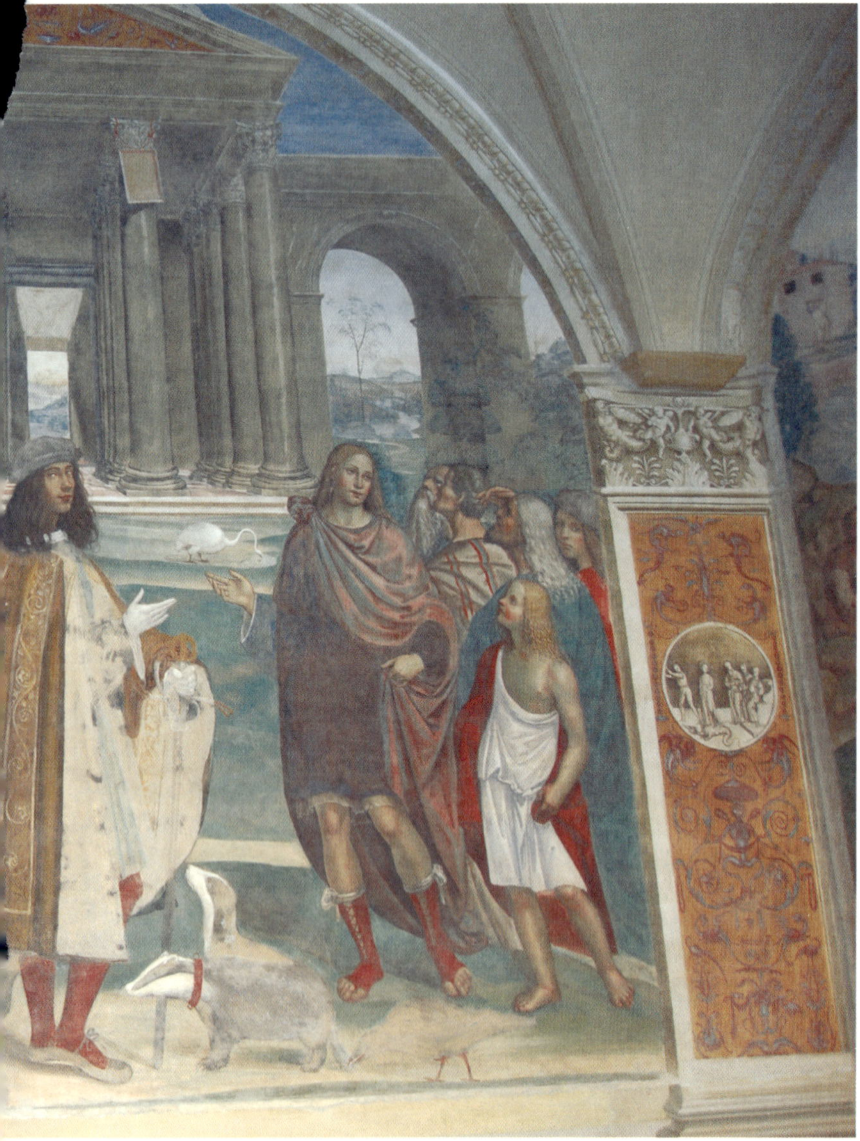

O CONTO DO AMOR

CONTARDO CALLIGARIS

O conto do amor

6ª reimpressão

COMPANHIA DAS LETRAS

Copyright © 2008 by Contardo Calligaris

Capa
warrakloureiro

Foto de capa
Michael Grimm / Taxi / Getty Images

Tratamento de imagens
João Rosa

Preparação
Maria Cecília Caropreso

Revisão
Otacílio Nunes
Valquíria Della Pozza

Dados Internacionais de Catalogação na Publicação (CIP)
(Câmara Brasileira do Livro, SP, Brasil)

Calligaris, Contardo
O conto do amor / Contardo Calligaris. — 1ª ed. — São Paulo : Companhia das Letras, 2008.

ISBN 978-85-359-1204-3

1. Romance brasileiro I. Título.

08-01995   CDD-869.93

Índice para catálogo sistemático:
1. Romance: Literatura brasileira 869.93

[2021]
Todos os direitos desta edição reservados à
EDITORA SCHWARCZ S.A.
Rua Bandeira Paulista, 702, cj. 32
04532-002 — São Paulo — SP
Telefone: (11) 3707-3500
www.companhiadasletras.com.br
www.blogdacompanhia.com.br
facebook.com/companhiadasletras
instagram.com/companhiadasletras
twitter.com/cialetras

O CONTO DO AMOR

1. Milão

Fazia doze anos que meu pai estava morto, e eu sentia sua falta. Não era nenhuma novidade: tínhamos passado décadas sentindo a falta um do outro. Duas ou três vezes por ano, desde que eu saíra de casa, aos dezoito, ele me chamava e dizia só isto: "Preciso falar com você". Eu, morando longe, dava um jeito de pegar um trem ou um avião para passar o fim de semana com eles, lá em casa. Eu contava minhas notícias, e eles contavam as deles. A gente conversava sábado e domingo inteiros.

A gente é modo de dizer. Na verdade, quem falava éramos minha mãe e eu. Meu pai sentava à escrivaninha que, como ele tinha exigido, ficava num canto da sala de estar (que, por sorte, era espaçosa). De vez em quando, ele levantava a cabeça, baixava os óculos, sorria e intervinha na conversa com uma palavra ou duas. Logo voltava a seus livros, notas e arquivos.

No fim da minha estadia, ele me levava para a estação ou para o aeroporto. No momento do adeus, beijava meu rosto, me abraçava forte e, invariavelmente, murmurava em meu ouvido: "Pena, não tivemos tempo para falar".

Ele sempre tinha sido assim. Na minha lembrança, mesmo quando a família recebia alguns hóspedes, meu pai oferecia sua presença, mas como uma espécie de aceno que vinha de longe, de um outro mundo que era a sua paixão exclusiva: a pintura da Renascença italiana.

Minha mãe, às vezes, depois do jantar, cantava ou tocava piano para os convidados. Outras vezes, meu irmão e eu recebíamos, em público, aulas básicas de dança de salão. Havia ocasiões em que todos os presentes debatiam com fervor as eleições decisivas daquele ano, a ameaça nuclear, a guerra da Coréia, a invasão de Suez, o que fosse, enquanto o meu pai ficava debruçado sobre a sua escrivaninha, pensando e escrevendo considerações sobre a recente atribuição do fragmento de um tríptico de altar a algum pintor menor do século XVI.

Um mês antes de sua morte, quando minha mãe já tinha nos deixado e ele expressara abertamente o desejo de segui-la logo, meu pai me chamou de novo, e da mesma forma de sempre: "Preciso falar com você".

Na época, eu já morava em Nova York. Era quase fim de ano; estava previsto que durante as férias meu filho ficaria com a mãe dele. Fui passar dez dias com meu pai, em Milão, só ele e eu. As enfermeiras, que normalmente se alternavam para que ele não ficasse sozinho, tiveram uma folga.

Tomávamos o café-da-manhã, almoçávamos e jantávamos juntos. À noite, ele gostava de ver um pouco de televisão — adquiriu esse hábito à medida que envelhecia e em geral adormecia na cadeira de rodas. Eu deixava que ele descansasse assim por algum tempo; depois, empurrava a cadeira até o quarto e o ajudava a tirar a roupa, vestir o pijama e se deitar. No mais, eu lia e escrevia, e ele fazia o mesmo.

Estávamos sempre juntos, mas conversávamos pouco. O carinho passava pelos gestos e pela banalidade de uma convivência cotidiana que não tínhamos havia tempo e que, de fato, nunca tinha acontecido daquela forma.

Sabíamos que desta vez ele não me levaria, não poderia me levar ao aeroporto. Estava frágil e cansado, não dirigia mais.

Na última noite antes da minha partida, ele me chamou a seu quarto, onde já estava deitado para dormir. Pediu que, antes de viajar, eu lhe fizesse a barba.

"Agora?", perguntei.

"Agora, sim; amanhã você não vai ter tempo."

Reuni o necessário numa bandeja: água quente, um aparelho de barbear com lâmina nova, um pano limpo, pincel, sabão e loção. Sentei na cama ao lado dele, protegi o colarinho do seu pijama com o pano, molhei e ensaboei o pincel.

Enquanto eu amaciava sua barba com o pincel e o sabão, ele começou a falar, devagar: seu coração não estava funcionando direito, e ele ficava facilmente sem fôlego.

"Você conhece", ele perguntou, "o convento de Monte Oliveto Maggiore, perto de Siena?"

Assenti. Tinha visitado o convento talvez uma ou duas vezes, quando criança, com ele, embora não me lembrasse claramente.

Ele continuou: "Nos anos trinta eu era estudante, e, como você sabe, a gente era pobre".

Assenti de novo. Meu pai era o mais jovem de cinco irmãos, nascido três meses depois da morte de seu próprio pai, que era o único provedor da família. Sua mãe tinha criado os cinco com uma modesta pensão, muito orgulho, muita determinação e pouca sopa. Todos foram excelentes estudantes e bolsistas por necessidade.

"Eu me vestia sempre de preto", ele continuou, "terno preto e camisa branca. Eu não tinha escolha, era a minha única roupa, terno preto e duas camisas brancas para eu ir trocando.

Preto e branco, como um camponês endomingado, quando vai para a missa." Comecei a passar a lâmina pelas bochechas, esticando sua pele com a mão esquerda. Era bom poder fazer alguma coisa de concreto para ele.

"Naquele verão, julho e agosto", ele continuou, "ficamos na costa da Toscana. Pagávamos pelas férias dando aulas particulares aos estudantes que precisavam passar nos exames de recuperação em setembro, antes do começo do novo ano escolar. Todos nós, os cinco irmãos. Adele ensinava grego e latim, Roberto e Aldo matemática e ciências, Carlota e eu ensinávamos italiano, história e história da arte."

Calou-se enquanto eu cortava a barba dos lábios e recomeçou quando passei a barbear embaixo do queixo, embora, a meu pedido, ele tivesse que esticar o pescoço para trás.

"Num dia daquele verão, deixei a costa para visitar o convento de Monte Oliveto Maggiore. Fiquei alguns dias por lá. Foram minhas férias de verdade. Fui de ônibus e depois a pé, o último pedaço. A estrada era longa, deserta, seca, uma estrada de terra; havia uma poeira branca que pegava no meu terno preto. Minha única companhia foi um cachorro que veio comigo até o mosteiro. No fim, ele sumiu."

Comecei o contrapelo. Afinal, era preciso que o corte durasse alguns dias.

"Eu estava cansado e com sede. Era um peregrino triste, com meu bastão. Naqueles dias, eu estava sempre triste. Eram tempos difíceis, o país era dominado por uma vulgaridade irresistível. Havia no ar como que um cheiro de catástrofe iminente."

Ficou pensativo e silencioso durante um bom momento. Prosseguiu:

"Algo muito estranho aconteceu quando entrei no claustro principal da abadia. Você se lembra do claustro com a série de afrescos que conta a história de são Bento? Foram pintados por Signorelli e por Sodoma."

"Sim", respondi, "embora não me lembre com detalhes." Sabia que o claustro era coberto por uma série de afrescos pintados em parte por Luca Signorelli e o restante, depois dele, por Giovanni Antonio Bazzi, dito "O Sodoma", em 1500 e alguma coisa. Estava quase terminando minha tarefa.

"Bom", meu pai continuou, "de repente eu me senti em paz, verdadeiramente em paz, como se tivesse enfim chegado à minha casa, pela primeira vez. Me senti muito mais em casa do que nunca em lugar algum. Muito mais em casa do que na casa que dividia com meus irmãos, minhas irmãs e minha mãe. Muito mais em casa do que agora."

Parei. Eu havia terminado de barbeá-lo, e também ele estava falando com uma seriedade que capturava toda a minha atenção. Não ousei lhe perguntar se tinha se sentido mais em casa do que na casa que havia construído e dividido com minha mãe, com meu irmão e comigo. Não ousei porque imaginei que me diria que sim, e admitir isso o entristeceria.

Limpei com cuidado os restos de sabão, verti um pouco de loção nas mãos, passei-as no seu rosto, apaguei a luz do alto, para que ela não o incomodasse, e continuei sentado ao seu lado.

Ele passou a falar muito devagar, os olhos fixos no teto. Na penumbra (só a luz da cabeceira estava ligada), aquele cenário e a voz dele se tornavam vagamente inquietantes.

"Ao entrar no claustro, tive a sensação imediata, distinta, nítida de que conhecia os afrescos perfeitamente, cada cena, cada figura, cada pincelada. Senti que eu já tinha estado lá, mas não como visitante ou peregrino. Conhecia os afrescos como se eu mesmo os tivesse pintado."

Hesitou por um longo momento a ponto de sua voz me assustar quando ele retomou a fala.

"Você sabe que eu não acredito em vida após a morte. E que não acredito em reencarnação. Mas naquele momento pensei mesmo... Não, eu não pensei; eu *soube* que eu tinha sido um dos pintores daquele claustro. Eu soube que havia passado anos da minha vida naquele lugar."

E acrescentou rápido, antecipando-se a um escárnio que estava longe de meus pensamentos:

"Não, não, eu não tinha sido nem Signorelli nem Sodoma. Apenas um auxiliar, um ajudante. Só um ajudante conheceria os afrescos tão bem. Mas eu não podia ter sido um ajudante de Signorelli porque, nesse caso, eu não conheceria os afrescos de Sodoma, que foram pintados depois. Em suma, eu tive a certeza de que havia sido um dos ajudantes de Sodoma naquela empreitada."

Eu não sabia o que dizer. Fiquei calado e apertei sua mão com carinho. Ele retomou:

"Essa sensação, esse saber, essa convicção, chame isso como quiser, nunca me deixou."

De novo, um longo silêncio. Quando voltou a falar, foi com o tom de quem chega a uma conclusão.

"A pintura da Renascença nunca foi um hobby para mim; ela era a minha casa. A minha vida. Só não era esta vida, mas uma outra, também minha."

Fechou os olhos. Parecia a ponto de pegar no sono. Levantei da cama, levei a bandeja para o banheiro, voltei e beijei delicadamente sua testa.

"Te amo, pai", disse.

"Eu também te amo."

Apaguei a luz e fui para o meu quarto, para a cama de quando eu era criança. Antes de adormecer, murmurei: "O que foi aquilo?". E, talvez para não responder, caí num sono profundo.

***

No café-da-manhã e no almoço do dia seguinte, trocamos as trivialidades de sempre, sobre o tempo e as notícias no *Corriere*. À noite, voltei para Nova York.

Essa foi a última vez que meu pai e eu conversamos. Talvez tenha sido a única; e com certeza foi a única em que ele não se queixou de não ter conseguido falar comigo.

Quando o revi, um mês mais tarde, meu pai também estava deitado em sua cama, e de novo dei um beijo em sua testa. Mas ele estava morto.

No fim do longo velório, quando todos foram embora, sentei na cama e fiz sua barba mais uma vez. Para onde quer que ele viajasse, para o céu ou para o nada, achei que gostaria de chegar de barba feita.

Depois do funeral, passei duas semanas em Milão. Com meu irmão, esvaziamos estantes e gavetas, guardando ou jogando fora papéis. Meu irmão ficou com as anotações de história da arte. Eu fiquei com os diários. As fotos a gente dividiu. Ou melhor, ele levou a maioria delas e eu escolhi algumas, sobretudo retratos do meu pai em épocas diferentes.

Descobrimos uma caixinha de madeira, fechada a chave, no fundo da última gaveta do lado direito da escrivaninha do consultório de meu pai. Procuramos e experimentamos nela todas as chaves que encontramos. Sem sucesso. Chamamos um serralheiro, que conseguiu abrir a caixa sem estragá-la: continha as cartas trocadas entre ele e minha mãe durante o namoro. Havia dois conjuntos de cartas, as escritas por ele e as escritas por ela, cada carta em seu envelope original e cada conjunto reunido por uma fita de cor vermelha. Fiquei com as cartas, a caixinha e a nova chave feita pelo serralheiro.

Passei tardes inteiras olhando fotografias. Não os diapositivos das férias de nossa família, que já estavam desbotados pelo tempo e que acabamos jogando fora, mas os álbuns de fotos em preto-e-branco, algumas de antes do casamento de meus pais, outras, quase todas, dos primeiros anos depois da guerra.

Ele tinha perdido os cabelos na guerra. Em 1940, em seu casamento, ele era um loiro esguio de cabelos encaracolados, com o rosto de um oval perfeito, quase feminino.

Na biblioteca de meu pai, peguei tudo o que achei sobre Sodoma, o catálogo da exposição de Vercelli de 1950, a monografia de R. H. Hobart Cust, de 1906, com suas reproduções monocromáticas, e a outra, de Andrée Hayum, de 1976 (uma raridade, como soube depois). Não encontrei nada que fosse especificamente sobre os afrescos de Monte Oliveto Maggiore.

Levei os livros para Nova York, mas lá apenas os folheei. Só me detive um pouco mais nos trechos que tratavam dos assistentes de Sodoma. Coloquei os volumes todos juntos numa mesma estante do meu consultório, e os esqueci.

Três ou quatro anos mais tarde, meu irmão, que não sabia da última conversa que meu pai havia tido comigo, mas percebera meu interesse por Sodoma, resolveu me presentear e me mandou pelo correio um ensaio que acabara de sair sobre o pintor, assinado por Roberto Bartalini. Percorri rapidamente o livro e o juntei aos demais, na mesma estante. De novo, os esqueci.

2. Monte Oliveto Maggiore

Doze anos depois da morte de meu pai, eu dirigia um carro alugado, indo de Milão a Monte Oliveto Maggiore. Não conseguia entender por que tinha esperado tanto para fazer essa espécie de romaria.

Nos dias depois do enterro, por exemplo, eu poderia ter usado o carro dele, que estava mofando na garagem havia meses, e em quatro horas teria chegado ao convento.

Aconteceu o contrário, fiquei fora e longe da Itália por doze anos.

De repente, sem que eu soubesse bem o motivo, a pergunta surgiu e se impôs com força: por que razão e com qual intenção meu pai tinha me contado aquela história?

Eu acabava de me separar, mais uma vez, e viajar se tornara mais fácil — era o pretexto de que eu precisava. Em suma, decidi que estava mais do que na hora de voltar à Itália. Liguei para Karina, minha agente de viagem brasileira, a quem eu continuava fiel, embora ela tivesse deixado os Estados Unidos e instalado seu escritório no Rio de Janeiro. Karina me conseguiu uma passagem de Nova York a Milão e reservou o carro.

Para não me esquecer, coloquei logo na mala que eu levaria uma foto de meu pai com vinte anos. Pronto.

Cheguei a Monte Oliveto no fim da tarde. Numa troca de e-mails com o padre encarregado de acolher peregrinos e visitantes, eu tinha reservado um quarto na hospedaria do mosteiro, uma antiga escola onde os monges abrigam os peregrinos.

Ao chegar, sem nem passar antes pelo quarto, fui direto até a pequena praça para onde se abrem as portas da igreja e do convento. Estacionei ali mesmo e descobri que o claustro maior estava aberto.

Os turistas já tinham voltado a seus hotéis nos arredores e àquela altura deviam estar tomando um copo de Brunello e comendo uma bruschetta antes do jantar. Apenas dois casais passeavam ao redor da entrada da igreja. Talvez esperassem o começo iminente da liturgia vespertina; provavelmente eram hóspedes do convento, como eu.

O claustro estava deserto quando entrei. Sentei na mureta de pedra entre os arcos, respirei fundo e fiquei em silêncio, à espera de uma revelação. A revelação não veio. Senti apenas aquela sensação de paz que é o presente oferecido por qualquer claustro deserto num fim de dia de verão.

Comecei a examinar os afrescos. No dia seguinte eu os fotografaria e eventualmente tomaria algumas notas. Agora só queria vê-los, um a um. Primeiro, excluí os que eram de Signorelli e me concentrei nos de Sodoma, sem negligenciar totalmente o de Bartolomeo Neroni, genro de Sodoma, posterior a todos os outros.

"O que estou procurando?", resmunguei comigo mesmo. Bom, eu procurava algo que ao menos me explicasse um pouco por que, nos anos trinta, meu pai tinha tido a certeza de ter vivido ali uma outra vida, cinco séculos antes.

Mas havia outra possibilidade: talvez meu pai não tivesse tido nenhuma experiência reveladora nos anos trinta. Talvez, com suas últimas palavras, ele quisesse apenas me dar uma pista, um indício, forçar-me a vir até aqui, olhar, pensar e descobrir alguma coisa que ele não pudera me dizer abertamente. Talvez suas confidências finais fossem, em suma, uma mensagem cifrada.

De qualquer modo, era preciso examinar os afrescos, com cuidado.

Cada afresco descrevia uma cena da vida de são Bento, o criador da vida monástica. E cada afresco tinha seu título. Segui a ordem cronológica da vida do santo, ou seja, percorri os afrescos a partir da entrada do claustro, circulando no sentido horário.

Os primeiros tratavam da vida de Bento antes de ele deixar a existência confortável de sua infância e juventude:

Como Bento deixa sua casa e vai estudar em Roma;
Como Bento deixa sua escola em Roma;
Como Bento repara o crivo que estava quebrado.

Parei um pouco. Era nesse afresco que Sodoma tinha escolhido pintar seu auto-retrato, como era costume que os pintores fizessem na época. Ele aparecia de corpo inteiro, no meio da composição, embora sua figura fosse perfeitamente desnecessária ao tema narrado, e o mesmo valia para a mulher e o menino à esquerda do pintor e à direita de quem olha. Em suma, todos os personagens da cena contemplavam estupefatos o crivo milagrosamente reparado por Bento, salvo Sodoma, a mulher e o menino, que, de fato, pareciam estar ali por acaso.

"Então esse sujeito conheceu meu pai...", murmurei, numa veia cômica que era um jeito de reprimir um pouco minha comoção. Continuei:

Como o monge Romanus dá a Bento o hábito de eremita.

Até aqui, só um fato chamava minha atenção: o jovem Bento era representado nos afrescos segundo um modelo de beleza juvenil, loira, angelical e estereotipada, que contrastava com os outros personagens. Esses eram marcados pela vida e, por isso mesmo, todos diferentes, inconfundíveis. Eram retratos de homens reais. Bento não parecia ser. Além disso, esse loirinho angelical me era familiar. Evocava, de maneira inquietante, as fotografias de meu pai quando tinha seus vinte anos. Uma, em particular, que eu trouxera comigo, estava na mala. Nela se via sua cabeleira de cachos loiros, um pouco mais curtos que os de Bento, seu rosto quase infantil pela regularidade dos traços, os olhos claros (eram de um azul intenso) e a figura esbelta. Tudo muito diferente do homem que eu conhecera, careca, pesado e barrigudo. Salvo, obviamente, pelos olhos, que permaneceram iguais.

A partir do afresco seguinte, *Como o demônio quebrou a campainha*, Bento aparecia de cabelo raspado e seu rosto perdia o estereótipo do jovem bonito e quase porcelanizado.

Talvez essa diferença contivesse uma mensagem edificante: a história verdadeira, a que marca os rostos, começa quando o homem se engaja no bem ou no mal. Até então, sua cara é um limbo, cara de quem ainda não existiu. Continuei.

Como um padre, inspirado por Deus, leva comida a Bento no dia de Páscoa;

Como Bento instrui na sagrada doutrina os camponeses que o visitam.

Parei. A princípio, estranhei a composição, como no caso do auto-retrato de Sodoma: um grupo de camponeses era instruído pelo santo e, depois, à direita, um pouco afastado mas ao mesmo tempo em primeiro plano, havia um jovem que se parecia estranhamente com o próprio Bento antes da conversão. Esse jovem estava à toa, não olhava para nós, mas também não olhava para o santo. Parecia estar sonhando.

Estava vestido de preto e branco; segurava na mão um bastão de pastor, que é um parente próximo do bastão do peregrino, e, ao lado dele, havia um cachorro lhe pedindo carinho. Esses detalhes (as cores da roupa, o cachorro, o bastão) pareciam ter sido contados, ou inventados, por meu pai de propósito, para que eu me detivesse diante dessa figura loira de olhos claros. Fiquei pasmo, como se meu pai estivesse falando comigo de sua tumba. Era uma emoção forte e abstrata.

No afresco, como disse, o jovem era ao mesmo tempo central e marginal, ou seja, muito presente, mas sem uma ligação clara com o tema representado, ele parecia estar ali só para mim, para que eu o encontrasse. Além disso, sua figura era carregada de uma tonalidade erótica um tanto descabida no meio daquele grupo e daquele contexto, mas difícil de ser negada: os músculos definidos das pernas, a postura do corpo e dos braços, a saia entreaberta por uma fenda que subia ao longo da coxa, a mesma fenda na manga da camisa, tudo sugeria certa languidez, uma felicidade carnal. Talvez o santo estivesse pregando contra isso mesmo, mas o jovem não parecia arrependido, nem na iminência de se arrepender.

Segui em frente e completei a volta do claustro, passando rápido pela série de Signorelli.

Mais adiante, em *Como Bento aparece a dois monges que estão ao longe e lhes mostra o plano para a construção de um convento*, os pedreiros capturaram novamente minha atenção: ao menos um deles vestia um traje das duas cores que meu pai usava, branco e preto. Que mais? Tudo bem, meu pai havia flertado com a maçonaria, e maçom significa pedreiro. Mas, que eu soubesse, isso tinha acontecido bem mais tarde na vida dele, nos anos 1970.

Voltei ao afresco dos camponeses e parei bem na frente do jovem de preto e branco, com bastão e cachorro. Como não havia ninguém no claustro, acenei de leve e me separei com um sorriso, dizendo alto: "Até amanhã".

Levei o carro até a hospedaria, tomei posse do meu quarto e logo subi a pé ao restaurante, um estabelecimento autônomo e de relativo sucesso gastronômico. Jantei rapidamente; queria participar da liturgia das nove da noite, com os monges. Durante o jantar, conversei com o gerente, mas o resultado foi frustrante. Confirmei o que já sabia ou imaginava: nos anos 1930, não havia restaurante algum ali, nem hospedaria. Um homem sozinho podia hospedar-se com os monges no próprio convento e dividir o pão e o queijo com eles. As mulheres eram autorizadas a visitar o claustro, eventualmente, mas não a dormir no mosteiro. Fora isso, o gerente nada mais disse. Estava ocupado e me informou que, de qualquer forma, dona Anita estaria lá de manhã cedo, cuidando do bar: ela tinha mais de oitenta anos, todos vividos na região, e se lembrava muito bem do passado.

Apesar da hora, ainda era dia. Desci para a igreja, onde já havia uma dezena de fiéis, provavelmente hóspedes do mosteiro como eu, e mais ou menos o dobro de monges. Sentamos todos nos assentos marchetados do coro de Giovanni da Verona, um dos mais bonitos da Renascença. É uma obra admirável e curiosa: um coro para cantar cantos gregorianos e rezar, mas ornamentado com os símbolos da razão e das artes humanas e terrenas.

A liturgia era em latim, com comentários, de quando em quando, em italiano. Na penumbra que se instalava na igreja e no campo ao redor, era compreensível que aquela visita tivesse ficado, na memória de meu pai, como a lembrança de um último momento de resistência da civilização contra a barbárie que viria.

Fui me deitar cedo e dormi bem e profundamente, por

causa do silêncio, do cansaço da viagem e talvez da sensação boa de estar me ocupando, enfim, de uma encomenda feita por meu pai e que eu ignorara por mais de uma década.

    Subi até o restaurante para tomar o café-da-manhã. Dona Anita estava no balcão do bar; conversava com dois clientes habituais e mostrava-se preocupada por não se lembrar se já tinha tomado seu remédio para a pressão alta. O gerente havia me dito que ela tinha oitenta anos e já era moça durante a guerra, mas a aparência de dona Anita era a de alguém bem mais jovem. Entrei na conversa, sugeri que ela medisse a pressão por volta do meio-dia e depois decidisse o que fazer em vista do resultado. Ela se tranqüilizou com a sugestão, e eu ganhei sua atenção e simpatia.

    Pedi outro cappuccino e, de xícara na mão, dei uma volta pela sala. Nas paredes, havia uma seqüência de fotografias do convento nos anos 1930 e 1940.

    Parei diante da foto de um homem com bastão de peregrino na mão e roupa vagamente antiquada, de pé numa estradinha de terra, com o convento à distância.

    "Esta é de quando?", perguntei.

    "São todas fotos antigas", respondeu dona Anita, "são minhas, eu as coleciono. Naquela época não havia estrada e os peregrinos vinham a pé. E eram poucos."

    "Meu pai esteve aqui nos anos trinta. Ele subiu do litoral. Como se fazia? O ônibus chegava até Chiusure, aqui perto?"

    "Não", respondeu dona Anita, solícita, "o ônibus vinha pela via Aurelia, parava em Buonconvento, e de lá as pessoas caminhavam oito quilômetros a pé, por uma estrada de terra. Vê que o homem está carregando uma bexiga de couro? É para a água; no verão, era uma subida longa e quente."

    Aprendi que o convento tivera sorte: nos últimos momentos da guerra, os alemães decidiram não incluí-lo numa linha de defesa. Teria sido destruído, como Montecassino. Aprendi também como tinha funcionado no passado a escola na qual estava hoje instalada a hospedaria e mais um bocado de outras coisas que pouco me disseram sobre meu pai. No fim, cumprimentei dona Anita por sua coleção, repeti minha recomendação de medir a pressão ao meio-dia e voltei ao claustro.

Ainda era cedo. O claustro não estava deserto como no dia anterior, mas havia apenas cinco ou seis pessoas contemplando silenciosamente os afrescos.

Fotografei com calma o do estranho camponês, ou pastor, que se parecia com meu pai e, mais rapidamente, os outros.

Enfim, voltei para *Como Bento instrui na sagrada doutrina os camponeses que o visitam*. Havia outro personagem, outro camponês de preto e branco ao lado e um pouco atrás do jovem (o qual, aliás, parecia-me cada vez mais lânguido e sensual). Era um camponês mais velho, careca, com uma cesta de cerejas na mão; ele trocava palavras, ou beijinhos, com um terceiro camponês, encostado em seu ombro.

O curioso é que esse camponês mais velho e careca parecia meu pai assim como eu o conhecera, um homem maduro, sem cabelos, acima do peso e com um rosto mais redondo do que oval.

Se de fato meu pai tivesse tido aquela iluminação nos anos trinta, ele nem teria notado o camponês com a cesta de cerejas na mão, pois não teria como prever qual seria seu aspecto no futuro. Mas, se meu pai tivesse inventado aquela história durante uma visita tardia, para me dizer algo sob a forma de um enigma, ele certamente teria reparado naquela estranha conjunção de sua juventude com sua velhice.

Contemplando o jovem lânguido e o velhinho com cerejas na mão que parecia levar beijinhos, veio-me uma idéia que rompeu o encanto.

Por que meu pai tinha escolhido ser ajudante logo de Sodoma? Afinal, supostamente, esse apelido era fruto de costumes sexuais um pouco excêntricos, ilícitos na época. Talvez, com o enigma desses dois estranhos camponeses, meu pai desejasse confessar algo que nunca conseguira me dizer de maneira explícita, mas que queria que eu viesse a saber um dia, depois de sua morte. Talvez tivesse medo que eu descobrisse esse segredo de sua vida por vias indiretas. Ou talvez, simplesmente, quisesse abrir um jogo que tinha escondido durante muito tempo. Qual seria o segredo?

Não era impossível que ele tivesse vivido, em parte, num outro mundo, mas num sentido diferente do que eu pensava até então. Talvez a Renascença italiana não passasse de um biombo atrás do qual ele escondia a persistência, ao longo de sua vida, de desejos sexuais pouco ortodoxos.

No entanto, essa era uma hipótese fraca. Mais adequada a mim do que a ele. Afinal, minha vida sexual era no mínimo atrapalhada, cheia de cantos escuros. A dele, que eu soubesse, tinha sido uma reta só. Amor e casamento.

Saí do claustro, passei pela loja do convento, comprei um mel produzido pelos monges e todos os livretos que continham reproduções dos afrescos.

Eu não tinha mais nada para fazer ali. Enfiei a mala no carro, deixei cinqüenta euros com o padre da hospedaria e tomei o caminho de Florença.

3. Florença

Depois de Monte Oliveto, eu havia planejado passar três dias em Florença e fizera uma reserva no Relais Piazza della Signoria, que acabava de ser inaugurado, no fim da curtíssima via Vacchereccia, já quase na Piazza. Da janela de meu quarto, eu podia ver a Piazza, o Netuno do Ammannati, o Davi de Michelangelo (quer dizer, a cópia dele) e a entrada do Palazzo della Signoria. O café Rivoire estava aos meus pés, com o melhor tiramisu de Florença.

Devolvi o carro à locadora em Borgo Ognissanti e voltei devagar, caminhando pela via della Vigna Nuova, até chegar, meio por acaso, ao Palazzo Strozzi. Decidi entrar e subi as escadas até o Istituto Nazionale di Studi sul Rinascimento.

Minha única visita ao instituto tinha sido trinta e cinco anos antes, com um amigo que estudava história. Ele pesquisava os dias de Savonarola em Florença, enquanto eu tinha uma simpatia difusa pelos livres pensadores dos séculos XVI e XVII, os que escondiam inconfessáveis cumplicidades com a Reforma protestante. Viemos porque ele procurava alguns documentos específicos — que, aliás, não achou — e eu queria apenas consultar o catálogo e enfiar o nariz em textos originais que não tivesse encontrado na biblioteca de minha universidade.

Abri a porta sem bater, como mandava o pequeno aviso. A sala era coberta de estantes com os volumes para consulta rápida e freqüente (enciclopédias, bibliografias, histórias gerais etc.). Num canto havia uma escrivaninha. Ao lado dela, operando uma fotocopiadora, estava um jovem negro.

Cumprimentei-o com um aperto de mão e me apresentei:

"Bom dia, estou pesquisando a arte na Siena do século dezesseis, Sodoma em particular..."

Ele me interrompeu, num italiano correto e quase sem sotaque: "Sou só o assistente do bibliotecário, ele saiu um momento, se você quiser esperar...".

Esperei.

O bibliotecário apareceu em cinco minutos. Era um homem mais ou menos da minha idade e me gratificou com um largo sorriso. Repeti a pergunta e acrescentei: "Estou interessado nos assistentes de Sodoma, em seus ajudantes; conheço os que estiveram em mais evidência, claro, mas queria saber se há alguma pesquisa, mesmo em curso, sobre os auxiliares menores, em particular os da época em que ele pintou os afrescos de Monte Oliveto Maggiore".

O homem coçou o queixo e disse:

"Olhe, você sabe, somos sobretudo uma biblioteca de história das idéias. Tem pouca coisa aqui sobre história da arte. Os pesquisadores que freqüentam nossa biblioteca são sobretudo filósofos ou historiadores do pensamento."

"Certo", respondi, "eu mesmo já estive aqui quando me interessava pelos pensadores heréticos ou suspeitos de heresia dos séculos dezesseis e dezessete, que, na verdade, são mais a minha especialidade." E eram, de fato, minha especialidade na época.

Ele continuou: "Sabe onde você deveria procurar? A grande biblioteca de história da arte, aqui em Florença, é a do Kunsthistorisches Institut. Fica na via Giusti, perto da Piazza della Santissima Annunziata".

"Conheço a praça."

"Pois é, a biblioteca fica no número 44 ou 46 da via Giusti, e você também pode consultá-la on-line, quer dizer, pode ter acesso ao catálogo. Eles têm mesmo um acervo impressionante de história da arte. Os pesquisadores que estiverem lá talvez possam ajudá-lo."

De qualquer forma, na biblioteca do Istituto Nazionale, àquela hora, não havia pesquisador algum com o qual conversar. Só restava agradecer, cumprimentar o bibliotecário e ir embora.

Deixei o Palazzo Strozzi, parei na Piazza da República para um expresso no café Paszkowski e segui em frente; passei pelo Duomo e subi pela via dei Servi até a Piazza della Santissima Annunziata.

A Piazza dell'Annunziata foi se formando aos poucos, à custa de muito trabalho. Começou com a construção do grande orfanato, no fim do século xv, por Brunelleschi, o Spedale degli Innocenti; o edifício dos Servos de Maria, na frente, foi erguido um pouco mais tarde, certamente com a idéia de manter a unidade da praça. Quanto à igreja, ela continuaria destoando se não tivesse recebido, bem mais tarde, no século xvii, um pórtico frontal no mesmo estilo dos edifícios que a enquadram. O resultado é uma harmonia florentina quase perfeita, como se Brunelleschi tivesse concebido todo o conjunto.

A Florença renascentista, a que importa, tem a cara de Brunelleschi: poucos ornamentos, só proporções perfeitas, marcadas pela pedra cinza das colunas, dos arcos e das arquitraves, e tudo o mais em branco. Uma espécie de triunfo da simplicidade da razão transmitindo uma sensação de lucidez.

Enveredei pela via Capponi até entrar à direita na via Giusti. O Kunsthistorisches Institut é uma divisão do Max Planck Institut. Eles têm meios para manter uma biblioteca extraordinária, mas, claro, o acesso não é imediato. Consultei o porteiro por trás de um vidro:

Repeti minha ladainha: "Estou pesquisando...".

Ele não me deixou terminar: "Para ter acesso à biblioteca, é preciso fazer uma carteirinha. Você tem um documento de identidade e uma carta de apresentação da sua universidade?".

Respondi sem hesitar: "A carta posso fazer eu mesmo, sou professor". Era uma meia mentira, dou aulas numa universidade, sim, mas de psicopatologia clínica, que não tem muito a ver com história da arte. Eu poderia estar escrevendo uma interpretação da vida íntima de Sodoma, por que não? Há precedentes ilustres: Freud não fez o mesmo com Leonardo da Vinci? E Karl Abraham escreveu sobre Giovanni Segantini. De qualquer forma, se fosse necessário apresentar uma carta da minha universidade provando que era pesquisador, alguém de lá me mandaria uma confirmação por fax, na hora, sem problemas.

"Bom, se o senhor tem tudo que é necessário, pode aguardar lá", disse o porteiro, apontando na direção de uma sala com porta de vidro, onde umas dez pessoas esperavam em fila. Detesto filas. Insisti:

"Antes disso, seria melhor eu saber se a biblioteca tem algum documento que me seja de ajuda; não há um bibliotecário com quem eu possa conversar um instante?"

Achei melhor reforçar meu pedido dando a entender que me preocupava com o tempo e o trabalho deles. Acrescentei:

"Você entende, se eu não encontrar os documentos que estou procurando, terei dado todo esse trabalho de fazer a carteirinha à toa."

O homem me considerou com atenção. Talvez meu sotaque estranho o tenha convencido; depois de tantos anos fora do país, é difícil dizer com certeza se sou italiano ou não. E estrangeiro ganha pontos. Ele pode ter pensado: vai ver o homem veio de longe e, se veio de longe, deve ser por alguma razão séria. Seja como for, o porteiro concordou em ligar para um bibliotecário, e explicou a ele a situação. Victor, o bibliotecário, disse que desceria para conversar comigo.

Já antes de ele passar pela porta de vidro, percebi que Victor estava um pouco incomodado. Por que eu não podia fazer como todo mundo e entrar na fila?

"Em que posso ajudá-lo?", perguntou. Falava um italiano corretíssimo, mas com um óbvio sotaque alemão.

Tentei conquistá-lo: "*Ich bin ein Professor an der New School...* Sou professor na New School, em Nova York, e estou no meio de uma pesquisa sobre o pintor Sodoma, especialmente seus ajudantes...", e contei-lhe, em linhas gerais, o que eu queria.

Funcionou. Ele me levou a sério e devolveu a cortesia de meu esforço lingüístico passando a conversar comigo num inglês perfeito.

"Fiz meu doutorado em Nova York, na New York University", disse. "Sim, claro, não é meu campo de *expertise*, mas deve haver documentos sobre a pintura em Siena no começo do século dezesseis. Sem falar do índice temático dos periódicos, que é muito bem-feito e mantido em dia."

Passei eu mesmo ao inglês:

"Minha pesquisa é um pouco particular. Seria longo explicar por quê, mas estou procurando informações sobre os ajudantes de Sodoma, sobretudo os da época em que ele pintou os afrescos de Monte Oliveto Maggiore..."

Ele não me deixou terminar:

"Olhe, se você está interessado em Sodoma, por qualquer razão que seja, deve falar com Nicoletta."
"Nicoletta?"
"Nicoletta Tornabuoni. Ela é pesquisadora e arquivista aqui do Institut. Estuda a pintura de Sodoma desde sempre — pelo menos desde que eu a conheço. E é genial. Ela ainda vai escrever a obra definitiva sobre Sodoma."
"E eu posso vê-la?"
"Está em horário de almoço agora", disse, passando um olhar rápido pelo relógio. "No verão, ela sempre almoça no Due Fontane, na Piazza dell'Annunziata. Se você for até lá agora, certamente vai encontrá-la."

No meio da Piazza della Santissima Annunziata há duas fontes (*"due fontane"*). E me lembrei que, no único lado que não é do Brunelleschi, ou inspirado nele, do lado oposto à igreja, há um hotel e um bar com mesinhas na rua. Provavelmente era o Due Fontane.

"Se eu não conseguir encontrá-la", disse ainda, enquanto ele já atravessava a porta, "posso voltar e procurá-la aqui?"
"Claro, mas você vai encontrá-la." Victor acenou para mim já atrás da porta de vidro fechada, e disse, exagerando os movimentos da boca para que eu pudesse ler seus lábios, já que não podia mais ouvi-lo: "Boa sorte".

Acenei-lhe de volta, sorri, e também agradeci com uma mímica de lábios. Saí caminhando rápido em direção à praça. Só então me dei conta de que eu não tinha a menor idéia da aparência de Nicoletta. Por que ele estava tão certo de que eu a encontraria? Será que só ela almoçava no Due Fontane?

Em menos de três minutos eu estava no meio da *piazza*, olhando as mesas do bar e me aproximando delas devagar. Eram seis ou sete, quase todas ocupadas por casais de turistas. Só uma mesa, próximo à porta do bar, estava ocupada por apenas uma pessoa, uma mulher. Enquanto eu me aproximava, vi um garçom colocando num canto da mesa uma xícara grande, provavelmente um cappuccino, e um prato que continha um desses sanduíches de pão de forma que na Itália se chamam *tramezzini*.

A mulher vestia uma camisa branca simples, quase masculina, e uma calça escura, talvez um jeans; calçava sapatilhas azul-marinho ou pretas. Tinha cabelos longos e escuros, que caíam em cachos sobre seus ombros. Era magra, quase miúda, mas algo nela sugeria um vigor atlético. Só não via seu rosto, pois ela estava de costas para a praça. Concentrada na leitura do que parecia ser a fotocópia de um artigo, ela mal notara a chegada de seu pedido.

Embora a esta altura eu já estivesse quase ao lado dela, a mulher continuava lendo, talvez a fim de desencorajar o possível chato que ela pressentia querer interromper seu almoço e sua leitura.

"Nicoletta Tornabuoni?", perguntei.

Nicoletta se virou para mim sem nenhum sobressalto e me apresentou um rosto aberto, luminoso. Não sorria, e nem era necessário: sua expressão transmitia uma franqueza sem sombras. Ela não disse nada e deixou que apenas seus olhos claros me interrogassem.

"Eu estive agora no Institut, e lá me disseram que eu poderia encontrá-la aqui."

Ela continuou me olhando calada.

"Foi Victor. Eu estava conversando com ele e perguntando se havia documentos na biblioteca, ou alguma pesquisa em curso no instituto, sobre os assistentes de Sodoma, e ele me disse que você é a especialista em Sodoma do Institut — e talvez não só do Institut... Desculpe incomodá-la no seu almoço."

"Qual é o seu nome?", ela perguntou.

"Carlo, Carlo Antonini."

Nicoletta me estendeu a mão e indicou a cadeira à sua frente.

"Você é italiano ou americano?" Desta vez ela sorriu, como se a pergunta fosse uma brincadeira.

"Italiano, milanês, mas moro nos Estados Unidos há muito tempo. Tenho sotaque americano?", perguntei.

"Nem tanto. Você foi traído pela sua camisa e pelos seus sapatos", disse ela, mantendo o tom brincalhão.

"Sou professor da New School de Nova York", acrescentei, ainda pensando em me apresentar como pesquisador.

"Professor de quê?"

Para minha sorte, o garçom, que na verdade era o dono ou gerente do Due Fontane, chegou naquele momento. "Mais um cappuccino, Nicoletta?" Sim, Nicoletta queria mais um cappuccino — bom sinal, pensei.

"E o senhor?", ele me perguntou.

"O mesmo, por favor."

Com isso, tive tempo de decidir que não ia mentir de novo, nem por omissão.

"Leciono psicopatologia", eu disse, provavelmente com a expressão de uma criança pega com a mão no pote de marmelada.

"E está interessado no quê? Na conturbada vida sexual de um pintor do século dezesseis? Conhecemos tão pouco sobre a vida de Sodoma... Não sei se você terá material para transformá-la em um caso clínico." Nicoletta conseguia ser irônica sem ser desagradável, e desta vez eu ri abertamente.

Perguntei: "Quer a verdade?".

Nicoletta abriu a palma das mãos num gesto acolhedor: "Sempre".

"A verdade é um pouco extensa; você tem tempo?"

"Tenho", disse Nicoletta e apoiou o rosto nas mãos, como alguém que se dispõe a escutar uma longa história. Em seus olhos, uma pitada de divertida curiosidade.

"Pois bem", comecei, "vou lhe dizer a razão de meu interesse pelos assistentes de Sodoma e especialmente por aqueles que estiveram com ele no convento de Monte Oliveto Maggiore, como Vincenzo Tamagni, Michel Angelo Anselmi e outros que talvez o tivessem ajudado naquela ocasião." Por sorte me lembrei desses dois nomes, que eu havia lido na monografia de Hobart Cust. Era uma última tentativa de fazer de conta, de mostrar a Nicoletta que eu estava mesmo pesquisando. Mas resolvi que já era tempo de dizer a verdade: "Engraçado", acrescentei, quase falando comigo mesmo, "é a primeira vez que conto esta história a alguém".

Relatei o último encontro com meu pai, doze anos antes, expliquei quem ele era e narrei a visita do dia anterior a Monte Oliveto. Ela conhecia aqueles afrescos tão bem que mal precisei descrever o são Bento com os camponeses e as duas figuras de preto e branco.

Quando terminei, ficamos um bom tempo em silêncio.

Acrescentei: "Achei que eu fosse passar três dias em Florença só passeando, mas não consegui. A verdade é que não sei bem no que me ajudará saber mais sobre os assistentes de Sodoma em Monte Oliveto. Só me falta acreditar que meu pai tenha sido mesmo um deles numa vida passada. De fato, nem sei se a história que ele me contou é verdadeira. Se não for, se for uma ficção, pior ainda, porque não faço idéia do que ele quis me dizer com aquela confissão".

Depois de uma pausa, continuei: "Às vezes, ele me fazia umas encomendas em Nova York, e eu não media esforços para encontrar o que ele tinha pedido. Sempre suspeitei que ele não precisasse de nada do que me pedia. Era como se quisesse que eu me sentisse importante para ele, que tivesse a impressão de que podia lhe levar algo que ele desejava muito. Pois é, agora é parecido. É como se eu estivesse atrás de uma última encomenda do meu pai".

Nicoletta não perdia o bom humor. "Escute, não sei se vou poder ser de grande ajuda, mas uma coisa é certa: nunca fui abordada num café com uma história tão bizarra. Você fica em Florença até quando?"

"Por pouco tempo, mais três dias; volto para Nova York na quinta-feira."

"Que tal jantarmos juntos hoje?"

"É tudo o que eu queria."

"Você conhece a Trattoria del Trebbio, na via delle Belle Donne?"

"Via delle Belle Donne? Não conheço, mas pode ter certeza que eu encontro."

"É melhor chegarmos cedo, há poucas mesas na rua. Quinze para as oito?" Nicoletta se levantou e apertou minha mão rapidamente, para se despedir e ao mesmo tempo impedir que eu também me levantasse.

Eu a segui com o olhar até ela desaparecer na esquina da via Capponi. Sentia um estranho alívio. Não por ter encontrado ajuda, mas por ter falado a verdade; era mesmo a primeira vez que contava aquela história maluca para alguém.

Pedi um *tramezzino*, tomei outro cappuccino e, antes de voltar para o hotel, decidi ir até a Trattoria del Trebbio, perto de Santa Maria Novella, que eu havia localizado com facilidade no mapa que carregava comigo. Reservei uma mesa para a noite e flanei um pouco pela cidade.

Entrei no convento de São Marco, mas não quis subir e rever os afrescos de Fra Angelico; não ia permitir que nada me distraísse, preferia que Monte Oliveto permanecesse sozinho na minha memória. Passei, porém, algum tempo no claustro de Michelozzo. A arquitetura de Michelozzo, como a de Brunelleschi, sempre me ajuda a acreditar que há uma razão no mundo.

Voltei ao hotel. Enfiei no bolso um dos livrinhos de Monte Oliveto e peguei também a foto do meu pai com vinte anos, que tinha trazido comigo. Saí do hotel às sete e quinze. Às sete e meia eu já estava sentado a uma mesa da Trattoria del Trebbio.

Vinte minutos depois, vi Nicoletta caminhando pela via delle Belle Donne, vindo na direção da *trattoria*. Ela me sorriu de longe. Estava vestida do mesmo jeito, uma espécie de uniforme da simplicidade.

"Então", ela perguntou, depois que fizemos os pedidos, "você acha o quê? Que seu pai teve mesmo uma espécie de revelação, em que viu ou sentiu uma vida passada, ou que ele lhe deixou um enigma para resolver?"

"Não sei. Nem sei se ele próprio soube direito o que foi aquilo. Talvez um pouco das duas coisas. Me diga, Nicoletta...", abri o livrinho de Monte Oliveto na página onde estava a reprodução do afresco do jovem camponês de preto e branco, "... será que já ocorreu a alguém que essa figura possa ser a de um dos assistentes de Sodoma? Talvez um efebo que ele achasse especialmente bonito?"

Nicoletta respondeu com outra pergunta: "Você reparou que ele é muito parecido com o próprio são Bento antes da conversão?".

"Reparei, sim. E sua figura não é propriamente um retrato, é uma espécie de estereótipo, não é? Mas olhe aqui." Coloquei a fotografia de meu pai ao lado do afresco dos camponeses instruídos pelo santo. Na foto, meu pai estava de pé, apoiado contra uma parede, de pernas cruzadas, numa pose muito parecida com a do jovem camponês no afresco de So-

doma. "Talvez seja alucinação minha, mas não se trata só da pose de meu pai na foto. Ela em si não significaria nada; o problema é que vejo uma estranha semelhança entre os rostos..."
Nicoletta analisou as duas figuras com atenção. "Não, não é alucinação sua", ela disse, sorrindo. "É esquisito, mas seu pai poderia ter servido de modelo."
"Bom", comentei, "é um alívio que você também pense assim."
Nicoletta contemplava, fascinada e divertida, a reprodução do afresco e a fotografia de meu pai.
"Outra coisa", acrescentei, "achei estranha a composição. Esse camponês ou pastor parece estar num mundo todo dele, pouco interessado na fala do santo, não parece?"
"É uma composição curiosa, certo, mas não é a única assim no ciclo." Nicoletta encontrou rapidamente no livro a reprodução do afresco com o auto-retrato de Sodoma. "Aqui, por exemplo, Sodoma está tão alheio ao que está acontecendo quanto o seu camponês, se não mais. E ninguém sabe bem quem são a mulher e o menino do lado direito. Mas tem mais."
Ela localizou a reprodução do afresco *Como Florenço manda as más fêmeas para o convento* e prosseguiu: "Olhe esta mulher aqui na frente. Não parece estar aí meio por acaso? As outras também não dão a impressão de estarem muito interessadas no que os monges estão pregando, se é que estão pregando, porém esta em particular está dançando ao som de sua própria música. Ao mesmo tempo, é uma personagem importante no afresco. No mínimo, pela cor escolhida".
Eu não havia me detido muito em frente àquele afresco. Curioso, a jovem mulher indicada por Nicoletta também era uma espécie de estereótipo, como o jovem pastor.
"Azul", comentei. "Em geral, é a cor do manto da madona.

Era o pigmento mais caro, não era? Por isso usavam a cor com parcimônia."

"Exatamente. Fez sua lição de casa, hein?", ela disse, com a mesma ironia carinhosa da nossa conversa do meio-dia.

"Tive alguns bons professores, e não só de psicologia, sem falar de tudo o que aprendi com meu pai", respondi. Apontando para a mão direita da mulher, acrescentei: "Com esse fruto dourado na mão ela parece encarnar a tentação, 'Vem cá, meu pequeno Adão, que tenho uma maçã para você'".

Nicoletta riu e observou: "Adão ou Eva, nunca se sabe; ela está olhando para a moça ao seu lado e a leva pela mão como se a convidasse para dançar".

"A sua moça de azul me faz pensar na Flora da *Primavera* de Botticelli. Se me lembro direito, na *Primavera* há os mesmos frutos dourados nas árvores. Você acha que Sodoma conhecia o quadro?"

"É possível", disse Nicoletta. "De qualquer forma, a Flora, esta moça e o seu camponês pertencem à galeria das primeiras imagens de uma Arcádia que durará séculos. Sabe, a mítica terra onde viveriam homens e mulheres bonitos, leves, flutuando por campos encantados, felizes. Um paraíso muito terrestre..."

"Então?", perguntei.

"Então o outro mundo em que estão o camponês e a moça é um sonho de felicidade, distante do barulho da história, das guerras, da cidade. Um sonho antigo, tão antigo quanto as *Bucólicas* de Virgílio, se não mais. A Renascença, claro, não era nada disso, mas vista do meio do século vinte, pelo seu pai..."

"E esse sonho de felicidade poderia incluir uma paixão, um gosto sexual diferente?", perguntei.

Nicoletta riu: "Está pensando que seu pai lhe forneceu a chave de algum segredo sexual? Foi porque escolheu logo

Sodoma com a reputação sulfurosa que ele carrega consigo por causa de seu apelido?".

"Um pouco, sim. Houve um momento, em Monte Oliveto, em que pensei que no fundo ele só quisesse me dizer que tinha vivido uma homossexualidade reprimida, a vida inteira."

"Do seu pai não tenho como saber, mas quanto a Sodoma a coisa é controvertida", comentou Nicoletta. "Claro, seu pai deve ter lido as duas páginas que Vasari escreveu sobre Sodoma para a segunda edição das *Vidas*. Mas Vasari detestava Sodoma. Não se sabe por quê. Incluiu na primeira edição pintores medíocres, de quem ninguém se lembra, e se esqueceu de Sodoma. Quando escreveu sobre ele na segunda edição, resolveu criticá-lo por ser um dissoluto e um excêntrico. Foi ele quem explicou o apelido de Sodoma pela reputação de sodomita de Giovanni Bazzi. Há outras hipóteses para explicar essa estranha designação, embora nenhuma conclusiva. Seja como for, sabemos que Sodoma se casou e procriou. Bom, mas isso não quer dizer nada..."

"Pelo contrário. Pode ser mais uma analogia, para alguém que viveu segundo as normas, como meu pai: casei, tive filhos, mas..."

"Faria diferença para você?"

Levei a pergunta a sério e pensei bem: "Sinceramente, nenhuma. Continuaria amando o meu pai da mesma forma; amando minha lembrança dele, quero dizer".

Nicoletta sorriu e acrescentou:

"Houve um desavisado que afirmou que a mulher e o menino ao lado de Sodoma, no afresco onde está seu auto-retrato, eram a mulher e a filha dele. Digo 'desavisado' porque Sodoma ainda nem era casado na época de Monte Oliveto. Outros disseram que a mulher e o menino, ou menina, representam a variedade de seus gostos sexuais. Eu acho um disparate."

Comemos por algum tempo em silêncio.

Em seguida, retomei: "Fiquei pensando no preto e no branco da roupa do jovem camponês. Em geral simbolizam um conflito interno, uma divisão, não é?".

"Sim, certo, mas na época eram também as tintas mais baratas, usadas para pintar as pessoas humildes, que, aliás, deviam mesmo se vestir de preto e de branco. Se você quer brincar de simbolismo, ainda temos o bastão e o cão."

"Bem, aí já não sei; na tradição cristã, o bastão do pastor, ou do peregrino, tem a ver com a autoridade espiritual de quem conduz pelo caminho em direção a Deus, não é isso? O que tem pouco a ver com o meu pai, que certamente não era religioso. O cão também, se me lembro direito, é sobretudo o animal que guarda a porta do além."

"Em princípio sim", confirmou Nicoletta. "O cão não era necessariamente um símbolo da fidelidade, como é para nós hoje. Também pode ser apenas mais um elemento sugerindo a tranqüilidade da vida nos campos da Arcádia."

Paguei a conta e propus que tomássemos um café no Rivoire, na Piazza della Signoria. Era cedo.

Fomos caminhando devagar para lá, passamos ao lado do Batistério e descemos a via dei Calzaiuoli.

Nicoletta enganchou seu braço no meu e perguntou: "Por que demorou tanto tempo para visitar Monte Oliveto?".

"Não tenho uma resposta clara. Se eu soubesse que a encontraria e que conversaríamos assim, como agora, eu teria vindo antes. Por outro lado, se eu tivesse vindo antes, eu talvez não a encontrasse."

Nicoletta não reagiu ao galanteio, que me escapou e imediatamente me pareceu idiota. Fiquei com medo de ter estragado a conversa. Mas ela apertou meu braço com carinho e perguntou de novo:

"Sério, por quê?"

"Sério? Não sei. A única razão que me ocorre é que acabo de me divorciar. Mas não me pergunte que diferença isso faz."

Pensei que essa informação também podia ser entendida como uma forma de galanteio e me odiei por isso. Afinal, para quem a gente diz que está livre?

Entretanto Nicoletta continuou: "Invejo um pouco você. Faz anos que escrevo sobre Sodoma, que pesquiso sobre ele, leio, interpreto e, na verdade, nem sei mais por que faço isso, se é que um dia eu já soube. Mas você está animado, como alguém que tem uma missão".

Sentamos a uma mesa do Rivoire e pedi dois cafés e um tiramisu, que veio com duas colheres.

"Pois é, agora é a minha vez. Como você se tornou uma autoridade em Sodoma?", perguntei.

"A pintura da Renascença está no meu sangue. Minha avó era restauradora e copista. Restaurava sobretudo quadros dos séculos dezesseis, dezessete e dezoito. E fazia cópias, ao que parece excelentes, para clientes que queriam ter um falso original em casa. Sabe, as boas reproduções são coisa recente. Minha mãe também restaurava quadros, mas eu fui criada pela minha avó. Minha mãe morreu cedo, em 1974, num acidente."

"E você pinta?"

"Não, não tenho jeito, acho. Na verdade, eu era fascinada pelos quadros que minha avó restaurava e copiava. Ela trabalhava em casa. Mas eu não tinha vontade de pintar, nunca tentava reproduzi-los. Só olhava tudo, desde criança, e fazia perguntas. Minha avó tinha também uma biblioteca que me parecia fantástica. Acabei estudando história da arte."

"E Sodoma?"

"Sei que minha avó apreciava bastante o maneirismo e Sodoma em particular. Mas nada mais específico."

Pedi mais dois cafés. "Engraçado eu falar só do meu pai e você falar só da sua avó e da sua mãe", observei.

"A verdade é que há poucos homens na minha história", disse Nicoletta. "Minha avó nunca se casou. Teve minha mãe sozinha, o que não era fácil na Florença da época, mas ela era uma mulher que não se intimidava facilmente. Minha mãe, ao que parece, viveu uma história de amor conturbada; o homem foi embora e ela ficou sozinha, grávida de mim. Às vezes acho que, no fundo, minha mãe queria repetir a história da minha avó."

"Tornabuoni é o sobrenome do seu pai ou da sua mãe?", perguntei.

"É o sobrenome da minha avó e da minha mãe. E o meu. Não se pode dizer que o homem que engravidou minha mãe tenha sido meu pai, mas sei que ele se chamava Giorgio, Giorgio Scalia. Devo ter ouvido esse nome, no máximo, três ou quatro vezes."

Ficamos algum tempo em silêncio, observando os turistas que passeavam pela *piazza* e os vendedores de bugigangas.

"Engraçado", continuou Nicoletta, "fiquei com o apartamento de minha avó, que era também o lugar onde ela trabalhava. É meu agora, mas nunca retirei o cavalete dela do ateliê. Ainda está lá. De minha mãe me lembro cada vez menos. Vamos?"

"Vamos. Posso acompanhá-la?"

Em vez de responder, Nicoletta me deu o braço e se dirigiu para a via dei Calzaiuoli.

"Moro na Piazza del Duomo; na época em que minha avó comprou o apartamento, não era um bairro muito valorizado."

Caminhamos em silêncio até o Duomo, e o contornamos

virando à direita quando chegamos à *piazza*. Atrás da abside central, em frente ao número 7, Nicoletta parou.

"Chegamos", disse. Olhou o relógio: "É cedo ainda, não quer subir? Tenho algumas reproduções dos afrescos de Monte Oliveto que são um pouco melhores do que as do seu livrinho. Fotos minhas, posso deixá-las com você; eu tenho cópias delas gravadas em CD".

"Seria maravilhoso", eu disse.

Subimos até o último andar. Nicoletta abriu a porta, e eu entrei numa sala escura com duas janelas grandes ao fundo. Nicoletta entrou atrás de mim e estendeu a mão para acionar o interruptor. Segurei sua mão e pedi: "Espere um instante". Ainda com a mão dela na minha, me aproximei das janelas.

Estávamos exatamente na altura da base da cúpula de Brunelleschi. Sua simplicidade contrastava com a própria policromia dos mármores do Duomo e, mais ao longe, do campanário de Giotto.

Fiquei olhando para aquela visão em silêncio, sem largar a mão de Nicoletta. Tinha uma sensação de clareza e paz que só podia ser causada pela forma perfeita e simples da cúpula e pelo leve calor da mão que estava na minha mão.

Passado algum tempo, virei o rosto e o corpo para Nicoletta. Ficamos nos encarando no escuro e, aos poucos, timidamente, começamos a nos beijar.

Nicoletta me levou para o seu quarto, na penumbra. Tiramos a roupa. Era como se eu a conhecesse desde sempre; entrei em seu corpo e senti como se tivesse, enfim, chegado em casa.

4. Florença, via Maggio

Acordei de um sono profundo e tranqüilo. Eram dez horas. Ao meu lado, na cama antiga de ferro batido, havia um bilhete e uma reprodução, 24 por 11, do afresco das más fêmeas enviadas ao convento. O bilhete, um autocolante amarelo, dizia:
Bom dia, americano. Jantar hoje?
Meu sono é sempre leve, agitado. Não conseguia entender como eu não tinha acordado quando Nicoletta se levantara. Enfiei a cueca e fui para a janela. O quarto também dava para a cúpula, que estava inundada de sol. Escutei um barulho de pratos e saí do quarto. Nicoletta ainda devia estar em casa. Entrei na cozinha chamando por ela:
"Nicoletta?"
De repente, me vi de cueca diante de uma mulher de seus setenta anos, que me observava tranqüila e risonha.
"Bom dia", ela disse.
Não morri de vergonha. Devolvi o bom-dia sem me dobrar para esconder o que, de qualquer forma, graças à cueca,

não precisava ser escondido. Mesmo assim, pensei em voltar imediatamente ao quarto para me vestir, quando ela me convidou para entrar e sentar, indicando a velha mesa de mármore no centro da cozinha:

"Sente-se, vou fazer um café."

Ao ver minha hesitação, ela acrescentou: "Não se preocupe que eu já vi muitos homens nus na vida, vivos, mortos, doentes e até querendo fazer amor comigo".

Achei graça e, antes de me sentar, eu me apresentei: "Sou Carlo".

Ela: "Sei, você é o americano. Eu sou Assunta e cuido de Nicoletta assim como cuidava da avó dela, a dona Bice, que Deus a proteja". Parou e me olhou fixamente: "Nicoletta é como se fosse minha neta agora. Quem maltrata a minha Nicoletta tem que se entender comigo depois".

Gostei dela. Eu disse: "Pensamos igual".

Ela sorriu e acendeu o fogo sob a cafeteira italiana. Perguntou: "Quer um ovo frito? Um pão?".

"Só café, obrigado."

"Nicoletta quer saber se você vem jantar."

"Aqui?"

"Sim, lá pelas oito; ela chega tarde, vou fazer umas compras e deixar tudo pronto."

"Certo, claro, estarei aqui às oito."

O café estava subindo devagar.

"Então a senhora conheceu a avó de Nicoletta?"

"Estou aqui há quarenta e oito anos. E vou ficar até morrer. Dona Bice era uma mulher como não tem mais. Olhe lá", e indicou um porta-retrato na bancada da cozinha. Uma mulher magra e forte, bonita, olhava direto para a câmera.

Assunta serviu o café e empurrou um açucareiro na minha direção.

"E a mãe de Nicoletta também vivia aqui?", perguntei.

"Vivia."

"Até sofrer o acidente em que morreu?"

"É, até o acidente", disse Assunta, mas me pareceu haver em sua voz uma pequena nuance de deboche. Preferi não investigar.

"Obrigado", eu disse, acabando de beber o café. "Vou me vestir."

Voltei ao quarto e passei uma água na cara; deixei para tomar banho no hotel.

"Dona Assunta", eu disse, entrando de novo na cozinha, "eu vou descer aqui embaixo para comprar um vinho para esta noite. Volto para deixá-lo com a senhora, pode ser?"

"Sim, claro."

Ao lado do portão, encontrei uma loja de produtos típicos, de certa forma uma armadilha para turistas, mas, procurando bem, achei uma garrafa de Tignanello que me satisfez. Assunta abriu o portão, subi e lhe entreguei o vinho.

Almocei e passei a tarde sentado no café Rivoire, trocando de mesa regularmente para escapar do sol. Examinei a reprodução que Nicoletta tinha deixado na cama e o conjunto dos afrescos de Monte Oliveto. Logo cansei.

Passei um bom tempo enumerando na cabeça as obras de Brunelleschi em Florença, como se eu fosse escrever um guia *Brunelleschi in Florence*, que talvez já existisse, aliás.

Aparentemente, as investigações sobre a vida passada de meu pai haviam cessado — interrompidas pela minha própria vida. Mas esse talvez seja o destino natural de toda investigação sobre o passado de nossos pais.

Havia outra hipótese, um pouco mística: era possível que aquelas confidências de meu pai não quisessem revelar ou explicar nada, mas apenas servir de pretexto para que um dia eu viesse a Florença e caísse nos braços de Nicoletta. Uma idéia capenga, claro, mas uma coisa era certa: meu pai sempre havia achado estranho, e lamentado, que, por uma razão ou outra, eu nunca tivesse me apaixonado por uma italiana.

Às sete, voltei para o hotel, troquei de camisa e, de novo, peguei a via dei Calzaiuoli na direção do Duomo.

"Oi", disse Nicoletta, sorrindo, ao abrir a porta.

"Oi, madona florentina", respondi. Nos beijamos sem hesitação, como se não tivesse passado um dia; parecíamos estar tão certos um do outro quanto na noite anterior.

A mesa estava posta na sala.

"É pouca coisa, uma *mozzarella* da Campania e *tagliolini* à Toscana. Já abri o vinho, para arejá-lo."

Nicoletta serviu o Tignanello, pegou um copo e me entregou outro, fez o gesto de brindar, mas, sem beber, pegou minha mão e disse: "Venha comigo".

No fundo do corredor, em frente ao quarto dela, abria-se a porta do que devia ter sido o ateliê de dona Bice. Era agora, ao menos em parte, o escritório de Nicoletta: no canto direito, havia uma escrivaninha com um computador, contra uma parede totalmente coberta por reproduções de quadros e afrescos de Sodoma e de alguns outros maneiristas.

No fundo do cômodo havia um cavalete. Apoiado nele, via-se um excelente retrato da mesma mulher cuja fotografia estava na bancada da cozinha.

Ao lado do cavalete, caixas e caixas de pigmentos, tubos de tinta, solventes e pequenos instrumentos.

"O cavalete de sua avó...", mais declarei do que perguntei.

"Sim, é aqui que ela trabalhava; é um quarto grande mas com pouca luz direta, ela preferia assim."

Pelos meus cálculos, dona Bice morrera, no mínimo, quinze anos antes, mas ainda havia no ar um cheiro de tinta a óleo. "Um auto-retrato?", perguntei.

"Sim." Nicoletta estava comovida, e eu vagamente intimidado. Ela não estava me mostrando a sua casa, estava me apresentando à sua avó.

Para quebrar nossa imobilidade silenciosa diante do auto-retrato, Nicoletta me convidou a passar em revista os quadros que enchiam as paredes ao redor do cavalete. Eram obras restauradas por dona Bice e deixadas como pagamento ou oferecidas como presente pelos donos. Havia holandeses do século XVII, retratos, paisagens e naturezas-mortas do século XIX e uma maravilhosa *predella* do século XVI — ou seja, uma longa e estreita banda de imagens que devia ter sido a base de um políptico florentino, provavelmente perdido ou desmembrado, mostrava cinco cenas da vida de um santo.

Nicoletta falava, explicava a técnica do restauro, apontava, em telas e tábuas, as áreas destruídas pelo tempo, pela água ou pelo fogo e recuperadas por dona Bice. Seu entusiasmo e paixão a tornavam especialmente desejável.

Então, de repente, Nicoletta pegou seu copo e se encaminhou para o corredor. Eu fui atrás dela.

"Não sei se você viu o resto do apartamento. Meu quarto você já conhece; aqui é o quarto de hóspedes, uma bagunça, só tem livros", disse ela abrindo e fechando rapidamente uma porta entre a cozinha e a sala, enquanto eu a seguia.

Voltamos para a sala e para a *mozzarella*, que era perfeita. Fomos até a cozinha, onde a água já fervia, à espera dos *tagliolinis*.

Acordei de novo tarde e sozinho. Mas não ouvi barulho algum. Dona Assunta não estava. Na cama, um bilhete:

Oi, americano, hoje vou dar uma aula no Istituto per l'Arte e il Restauro, na via Maggio (é o Palazzo Spinelli, não me lembro do número, mas você gosta de um enigma, não é?). Saio às cinco.
Nicoletta

À tarde, por milagre, consegui entrar na basílica de San Lorenzo depois de apenas meia hora de fila.

Em seguida, tentei comprar um presente de despedida para Nicoletta. Não encontrei nada que pudesse transmitir o que eu sentia. Na verdade, não sabia bem o que eu queria e podia dizer a Nicoletta. Desisti. Atravessei o Arno pela Ponte Vecchio, peguei à direita em Borgo San Iacopo e à esquerda na via Maggio. Mantive-me do lado esquerdo; eu tinha tempo e aproveitei para olhar as vitrines.

Às cinco em ponto eu estava em frente ao portão do Palazzo Spinelli. Uma placa anunciava que o Istituto per l'Arte e il Restauro ficava naquele prédio. Esperei, e não demorou muito: Nicoletta apareceu. Nos beijamos, ela me deu o braço, e atravessamos a rua.

Fomos caminhando devagar em direção ao Arno pela via Maggio, que não é especialmente confortável para passear, mas que é onde se concentram os antiquários de Florença.

A vitrine de uma loja especializada em armas antigas chamou nossa atenção com uma armadura completa do século XVII. Brincamos sobre a possibilidade de instalá-la na entrada do meu consultório. Ou então no meio da cozinha do apartamento da Piazza del Duomo, "para fazer companhia à dona Assunta", disse Nicoletta. E caímos na gargalhada. Chegamos a entrar para perguntar o preço. Era alto, mas ainda assim menor do que eu imaginava.

Voltamos alguns passos para rever, numa outra vitrine, um quadro de arte religiosa que parecia ser do século XVI. Era um santo mártir que não conseguíamos identificar. Finalmente, decidimos entrar na loja.

Um homem de uns sessenta anos estava sentado atrás de uma esplêndida mesa conventual do Quatrocentos. Antes de perguntar quem era o santo na vitrine, circulamos pela loja juntos, olhando os quadros pendurados nas paredes.

Paramos ao mesmo tempo, pasmos. Encostada no chão, num canto, quase escondida, havia uma tela pequena, de oitenta por setenta centímetros mais ou menos, numa moldura dourada do século XIX. O quadro era uma reprodução a óleo do afresco de Sodoma que retratava os camponeses instruídos por são Bento.

Nicoletta apertou meu braço e falou alto, sem querer: "Mas o que é isso?".

O homem da loja achou que ela estivesse lhe fazendo uma pergunta e respondeu: "Nada, é uma cópia moderna, deve ter uns cinqüenta anos, por aí".

"Claro que é uma cópia", eu disse, "de um afresco de Sodoma em Monte Oliveto Maggiore. Mas tem uma coisa aqui que não está certa..."

"Ainda bem", respondeu o homem, sem ironia e bem-humorado, "que de vez em quando entra alguém que sabe o que está olhando."

Nicoletta dirigiu-se ao homem: "Esta mulher aqui não está no afresco original dos camponeses instruídos pelo santo; ela é de um outro afresco, o das más fêmeas enviadas ao convento por Florenço".

Desta vez o homem se levantou, interessado, pegou o quadro do chão e o depositou sobre a mesa. Apontou para a figura feminina entre o jovem camponês e o camponês mais velho (ou seja, entre as duas imagens do meu pai, moço e idoso) e disse: "Sim, esta figura não está no afresco, é verdade. E você sabe de onde ela vem?". A pergunta era endereçada a Nicoletta.

"Sim, é a mulher da frente, a que está em destaque no afresco *Como Florenço manda as más fêmeas para o convento*, da mesma série."

"Que coisa estranha", comentou o homem, perplexo.

A mulher vestida de azul, que eu achava parecida com a Flora na *Primavera* de Botticelli, estava disposta no quadro de tal forma que parecia flertar com o jovem pastor.

"De onde vem este quadro?", perguntei.

"É apenas uma cópia, nem coloquei na parede, embora os turistas às vezes comprem qualquer coisa. Anteontem, estava limpando o depósito e o trouxe aqui para a frente, pensando que já estava na hora de decidir o que fazer com ele. Comprei-o de uma família nos anos sessenta, nem sei exatamente quando; eram descendentes de um fascista graúdo. Tinham um monte de porcarias, mas achavam que era tudo original. Este aqui eles juravam que era um Signorelli ou coisa que o valha. Na verdade, eram quase todos cópias. Se querem saber minha opinião — mas, claro, não tenho nenhuma prova —, eram quadros que alguém acumulou durante a guerra chantageando judeus e antifascistas. Aquela coisa, me dê um quadro e não será deportado. Só que o nosso colecionador era ruim de doer e levava qualquer crosta para casa."

Fiquei comovido: meu pai também chamava de crostas as pinturas que lhe pareciam falsas ou ruins.

Insisti: "O senhor se lembra do nome dessa família?".

"Não posso lhe dizer." O homem, de repente, ficou na defensiva: "Se você por acaso for o antigo proprietário, pode fazer uma denúncia. Parece que agora há um programa do governo de incentivo à restituição...". Estava na defensiva, mas não parecia muito preocupado. Tudo indicava que perder aquele quadro não comprometeria seu sono.

"Não é isso, eu só gostaria de saber quem foi o autor desta

alteração; o modelo original é um afresco que me interessa; é uma longa história..."

"Não sei se adiantaria muito eu lhe dizer o nome da pessoa de quem comprei o lote. Era uma mulher, o marido havia acabado de morrer, e pelo jeito era ele o 'colecionador'. Eu mesmo perguntei um pouco sobre a origem dos quadros, mas ela parecia não saber de nada."

"Escute", eu disse, "se o quadro estiver à venda, eu gostaria muito de comprá-lo. Mas o nome da mulher, se o senhor conseguir se lembrar, seria importante para mim."

"Tudo aqui está à venda. Isto é uma loja. Escute, só não me coloque em encrencas, está bem? Acontece que me lembro do nome, sim. Normalmente eu teria me esquecido, e também não tenho mais os registros das compras, mas é que no fim dos anos setenta, por acaso, eles apareceram no jornal. Não a mulher, mas os filhos ou os sobrinhos, acho, ou então eram os primos, não sei. Foram investigados, talvez indiciados, mas como sempre não deu em nada: um deles parecia estar envolvido com as tramas pretas, sabe, a conspiração neofascista dos anos setenta. Que anos aqueles, hein? Entre o terrorismo de direita e o de esquerda, não havia sossego; ninguém parecia feliz com nossa pequena democracia. Enfim, esbarrei no sobrenome deles ao ler o jornal; pensei que só podia ser a mesma família. Foi durante as investigações sobre o atentado terrorista ao trem expresso Roma–Mônaco, o *Italicus*; um deles foi mencionado como mandante ou intermediário financeiro..."

Nicoletta se apoiou na parede, ela estava pálida e tensa.

Coloquei a mão de leve em seu braço e perguntei em voz baixa:

"Tudo bem?"

"Não é nada", ela disse com um sorriso forçado, "está tudo bem."

Tentei acelerar o diálogo sem pressionar o antiquário: "E qual era o nome...?".

Ele hesitou de novo, mas já tinha se decidido a falar: "Não me lembro do nome completo do homem ou da mulher, mas o sobrenome era Nitti, família Nitti. Nem me pergunte o endereço porque, mesmo que eu me lembrasse (e, de fato, não me lembro), ele não valeria de nada. Quando comprei o lote, eles estavam se mudando. E veja se não me coloca em nenhuma encrenca, ok?", repetiu.

"Não se preocupe. Se eu conseguir encontrar alguém da família, inventarei qualquer coisa, mas não direi seu nome. Prometo."

Eu estava com pressa, a palidez de Nicoletta me preocupava.

"E qual é o preço do quadro?", insisti, mesmo sabendo que estava demonstrando interesse demais e que aquilo não era bom para a negociação. Mas não podia nem imaginar a possibilidade de sair de lá sem o quadro.

"Ah, é uma cópia do século vinte...", recapitulou o homem. "Quatro mil euros, está bem?"

"Quatro mil euros?!", interveio Nicoletta, que, de repente, pareceu ter recuperado parte de seus espíritos vitais. "Mas é um quadro sem valor, uma cópia moderna, e ainda por cima nada fiel."

"Só a moldura, se você fosse fazer hoje, custaria setecentos ou oitocentos euros...", replicou o homem.

"Escute, por favor", pedi, implorei, "três mil euros, pode ser?" Minhas reservas iam sofrer uma baixa considerável, mas eu sabia que, se o homem não aceitasse, eu acabaria pagando os quatro mil.

"Nos últimos dias vendi pouco, não sei por quê. Vocês me parecem muito interessados no quadro, mas por uma razão afetiva, não é?", perguntou o homem no tom de quem se dispõe a fazer uma obra caridosa.

Nicoletta e eu assentimos vigorosamente.

"Certo, fechado", disse o homem, talvez ansioso por apressar nossa partida, a nossa e a do quadro.

Como levaria a tela comigo no avião, pedi que a embalasse para transporte, mas de maneira que pudéssemos abrir o pacote antes de eu viajar. Depois lhe entreguei meu cartão de crédito.

Saímos da loja em silêncio, eu carregando o quadro.

"Este afresco não larga de nós, hein?", comentei. E imediatamente: "Você está se sentindo bem? O que foi que aconteceu lá dentro?".

"Nada, mesmo. Essas histórias de terrorismo sempre me deixam tensa. Já passou."

Nicoletta chamou um táxi pelo celular. Em poucos minutos subíamos a escada de seu apartamento, na Piazza del Duomo.

Retiramos a embalagem com cuidado, Nicoletta levou o quadro ao escritório e o colocou no cavalete de dona Bice, no lugar do auto-retrato da avó. Sentamos em frente ao quadro para observá-lo.

Rompi o silêncio: "O que é isso? Uma mensagem paterna direto do além, com mais uma peça do quebra-cabeça?".

Nicoletta se levantou e examinou a tela de perto, com cuidado, frente e verso.

"O chassi é dos anos quarenta ou cinqüenta, no máximo sessenta, provavelmente de fabricação local, florentina. Ninguém tentou envelhecê-lo artificialmente. Se quiser, posso fazer alguns testes, mas só amanhã. De qualquer forma, não parece que a figura da mulher seja um acréscimo ou um pentimento; acho que a tela foi pintada assim mesmo. A moldura é mais antiga e foi adulterada, adaptada e redourada; qualquer artesão de qualidade conseguiria deixá-la assim."

Nicoletta continuou examinando o quadro. "Venha aqui ver", exclamou.

Eu me levantei e me aproximei; ela estava apontando para a cesta de frutas nas mãos do camponês mais velho.

"Caramba!", exclamei. Entre as cerejas da cesta, o copista tinha acrescentado algumas maçãs douradas, como a que estava na mão da mulher de azul.

"Ele se divertiu, hein?", comentei. "Cerejas e maçãs, curiosa combinação. Há cerejas na mesa da *Última Ceia* do Ghirlandaio, no convento de São Marco, não é?", perguntei.

"Sim, claro", disse Nicoletta, "e existem duas interpretações. Alguns dizem que elas representam as alegrias do Paraíso, outros dizem que são gotas de sangue da paixão de Cristo. No fundo, não faz muita diferença."

"Quando eu era criança, eu tinha um 45 rotações de Benny Goodman. Um lado era 'Undecided', o outro era 'Between the devil and the deep blue sea'. Por alguma razão, eu lia aquilo como se fosse o longo título de uma única música." Passei a imitar a voz de um locutor de rádio: "E agora, senhores e senhoras, 'Indeciso entre o demônio e o profundo mar azul'. O que vocês vão escolher, as cerejas do sangue do Senhor ou a maçã sedutora da vida terrena?".

Nicoletta saiu, sorrindo, e voltou com uma garrafa de Villa Antinori e dois copos:

"Direto do Paraíso terrestre", disse. Saboreamos devagar. Ela acrescentou, imitando o tom indiferente de uma conversa qualquer:

"Talvez o quadro seja apenas uma coincidência". Começamos rindo em surdina e acabamos num acesso de riso interminável.

"Que loucura", eu disse quando me acalmei. "Mas escute, sério...", e voltamos a rir.

"Vamos jantar?", perguntei enfim.

Deixamos o quadro e saímos do apartamento abraçados.

"Estou a fim de comer um prato bem toscano."

"Ok", disse Nicoletta, "uma *ribollita*; é uma sopa, não é bem um prato para o verão, mas *à la guerre comme à la guerre*. Deixe que eu conheço o lugar certo."

Avançávamos em direção à Piazza del Mercato Centrale, sem parar de nos beijar. Eu já sentia falta dela.

Jantamos felizes uma *ribollita* da Trattoria Zá Zá. Foi sobretudo Nicoletta quem contou coisas de sua vida. Da morte da mãe, quando ela tinha dois anos, ela não se lembrava de quase nada. Em geral, as memórias da mãe se confundiam com as fotografias e as histórias contadas pela avó. Do pai sabia menos ainda, ele tinha sumido na luta armada logo depois de a mãe engravidar. Enfim, sumido na luta armada ou sumido graças à luta armada.

A avó tinha sido a figura central da vida de Nicoletta. A avó e talvez Assunta, que hoje vivia num apartamentozinho não muito longe da Piazza del Mercato, justamente, e cuidava de Nicoletta e da casa três dias por semana — mas de fato o tempo inteiro. Assunta tinha me achado simpático, contou Nicoletta, o que era uma raridade e um privilégio.

Com a avó, Nicoletta tinha viajado pela Europa e também para os Estados Unidos, algumas vezes, sempre para visitar museus e clientes, colecionadores que confiavam seus tesouros a dona Bice ou que queriam lhe mostrar suas aquisições. Nos últimos anos, já passando dos oitenta, ela aceitava cada vez menos pedidos de restauro e, quando aceitava, não se comprometia com prazo. Aos poucos, tornara-se uma autoridade; seu parecer contava mais do que muitas opiniões de experts. Até as grandes casas de leilão recorriam a dona Bice em caso de dúvida sobre um quadro do século XVI ou XVII.

No fim do jantar, caímos num silêncio à prova do Chianti Classico que era a melhor opção da modesta carta de vinhos da Zá Zá. Peguei a mão de Nicoletta e disse:

"Gosto que me conte de você, para que eu possa levar mais de você comigo."

"Não quero falar sobre isso."

"Mas eu quero. Uma coisa: não pode terminar aqui. Não sei como, mas não pode terminar aqui. Sabe por quê?"

Nicoletta esperou.

"Porque você é a única mulher para quem contei, e a única para quem contarei, que meu pai era a reencarnação de um pintor do século dezesseis, e ainda por cima menor."

Rimos um pouco. Pedi a conta e voltamos para o apartamento de Nicoletta. De novo, aquela sensação de paz, como se, ao entrar no corpo dela, eu estivesse entrando em casa.

Acordamos juntos, muito cedo. Nicoletta fez o café e me ajudou a embalar o quadro. Fui retirar o carro na locadora, passei pelo hotel, arrumei a mala e fechei a conta. Voltei à Piazza del Duomo para me despedir de Nicoletta e pegar o quadro. Ela tinha preparado uma carta oficial do Istituto per l'Arte e il Restauro, atestando que a tela que eu levava era uma cópia. Isso para que a alfândega italiana não pensasse que eu estava saindo do país com um tesouro da Renascença.

Foi rápido, nos beijamos, quase na frente do museu da obra do Duomo.

Nicoletta perguntou: "E como vai continuar sua investigação?".

"Os diários de meu pai estão comigo em Nova York. Acho que começam nos anos trinta. Vou lê-los de cabo a rabo; neles deve haver ao menos uma menção ao que aconteceu em Monte Oliveto." Passando a ponta dos dedos no rosto dela, acrescentei: "Se não houver, a investigação acaba, mas terá valido a pena".

Nicoletta também passou a mão, de leve, no meu rosto e disse: "Escreva, me conte o que encontrar nos diários".

Tomei o caminho de Milão e de seu aeroporto internacional, Malpensa. A alfândega não me incomodou nem um pouco. Pensaram que eu estivesse levando comigo uma crosta. E estava mesmo.

5. Nova York

Cheguei em casa, deixei a mala no quarto e fui direto para o consultório, no fim do corredor. A caixa de correspondência era uma mixórdia de lixo e contas. Escutei a secretaria eletrônica. Anotei os recados dos pacientes. Havia também uma mensagem de meu filho anunciando que não passaria por Nova York, iria diretamente das férias para o College, e seria legal se eu depositasse algum dinheiro na conta dele.

Com o resto, eu não sabia o que fazer. Philip tinha esquecido que eu estava viajando e havia me convidado para jantar. Gerald queria conversar da vida. Meu advogado perguntava quando eu voltaria. Alguém do banco sugeria uma aplicação financeira. Ronald me convidava para uma exposição. Lucy propunha um programa torto e animado, que não explicou detalhadamente no recado, mas que envolvia uma amiga dela que acabava de chegar à cidade. Lois, obcecada como sempre por fantasias de sexo inter-racial, me convidava para a próxima festa do Mandingo Club, na sexta seguinte; de fato, minha presença não fazia diferença alguma, ela apenas não queria ir sozinha. Enfim, desembrulhei o quadro e coloquei-o na estante, bem ao lado da fileira de diários do meu pai. Liguei o computador e escrevi um e-mail para Nicoletta.

To: Nicoletta@kunstinstitut.org
Subject: chegada
Cheguei, com atraso. Coloquei o quadro na estante onde estão os diários do meu pai. Já está quase na hora de eu atender, mas à noite começo a leitura.
Voltei, mas, sem você, estou fora de casa.
Carlo

A resposta veio meia hora depois:

To: carloantonini@aol.com
Subject: Re: chegada
Parece mesmo que o normal é você estar aqui desde sempre.
Assunta perguntou sobre "suas intenções". Cuidado, hein?
Mas não vamos brincar disso: escreva sobre suas "leituras", isso sim.
Nicoletta

Atendi movido mais a café do que a energia. Às oito e meia da noite terminei, esvaziei a mala e encomendei camarões com brócolis no Mee Noodles da Oitava Avenida. A comida chegou logo, e, de pauzinhos e embalagem de papel na mão, ataquei os diários.

Eu havia tido uma série de dificuldades com os diários, que me impediram de lê-los até então. Duas dificuldades maiores, de fato.

Nos dias imediatamente posteriores à morte de meu pai, eu tinha procurado algumas datas nos cadernos, curioso para ler os comentários sobre a agonia de meu avô materno, o suicídio de meu tio, meu primeiro casamento e o de meu irmão. E, claro, eu queria ler o que ele tinha escrito no dia de meu nascimento. Surpresa: nenhum desses eventos era sequer mencionado nos diários. Eu ficara contemplando a página do dia em que nasci, completamente vazia. Na hora, imaginei que, com a excitação e os afazeres daquele momento, meu pai não tivesse tido tempo para escrever. Mas, nos dias seguintes, também não havia nenhum comentário sobre a minha chegada a este mundo.

Rapidamente, me dei conta de que aqueles não eram, de fato, os diários de meu pai; eram os diários de "outra vida", a do ex-ajudante de Sodoma. Eles continham sobretudo relatos de experiências estéticas, contemplações de obras conhecidas e desconhecidas. Eram uma viagem contínua num universo de arquiteturas, esculturas, quadros, poemas, romances, peças de teatro, filmes e mesmo paisagens naturais. Mas não eram notas de apreciação ou de crítica, não propriamente.

E aqui estava minha segunda dificuldade. As experiências eram sempre forçosamente "poéticas", ou seja, realçadas com uma enorme sobrecarga de adjetivos.

Um romantismo obstinado e *kitsch* parecia ser o meio que meu pai encontrara para que tudo aquilo se destacasse como um mundo à parte.

Por exemplo, em 7 de fevereiro de 1953:

Sublime ocaso do sol numa tarde fria, doce e melancólica, perto de uma igrejinha desolada e corajosa que lança seu austero chamado no campo ainda adormecido pelo gélido inverno. As esplêndidas e humildes linhas de sua arquitetura românica tocam no âmago de nossas almas amorosas.

Às vezes, depois de uma excursão de domingo, meu pai nos chamava e lia, ou melhor, declamava para nós a página do diário que acabara de escrever. Ela nunca tinha nada a ver com a minha experiência. Para mim, aquele dia de 1953 teria se resumido assim: frio do cão, solidão de chorar e vontade de voltar para casa. Criei certa antipatia pelos adjetivos e, sobretudo, uma repugnância envergonhada pelo sentimentalismo. Por isso eu também tinha desistido de ler as cartas de meu pai à minha mãe durante o namoro deles. Não acho que fosse por ciúme: é que eu não agüentava aquele estilo meloso. E meloso é dizer pouco.

Mas agora era diferente. Se os diários eram escritos no espírito da suposta encarnação anterior de meu pai, se seu autor era, por assim dizer, o aprendiz de Sodoma, então eles eram mesmo o que eu queria e precisava ler.

Eu sabia que a visita de meu pai a Monte Oliveto tinha ocorrido nos anos 1930, e os diários começavam em 1933, quando meu pai tinha dezoito anos.

Até o fim da Segunda Guerra, eles foram escritos em cadernos escolares normais, pautados. A mudança de ano (que não implicava necessariamente um novo caderno) era indicada com clareza, mas nem sempre as entradas tinham uma data exata.

Só restava ler desde o começo, e o começo era bom. Toda a galhardia adolescente de meu pai se expressava num antifascismo visceral. Não havia nada de teórico, nenhuma interpretação no estilo da Terceira Internacional, só raiva e desprezo pelo que ele chamava de "vulgaridade" dominante: a ignorância, o barulho e, o que para ele era o pior, o uso e abuso de fragmentos da cultura clássica italiana (de Roma à Renascença) para uma mascarada que lhe parecia grosseira e que era, de fato, sangrenta.

Havia pequenos e comoventes relatos de insubordinação contra professores fascistas, como a coragem de entregar uma dissertação que terminava com as palavras: "E, pelo menos uma vez, não vou acabar gritando: *viva Mussolini, il nostro duce*" (o nosso "duce" com minúscula).

Havia inúmeras descrições satíricas e revoltadas: os vizinhos se pavoneando de botas e camisa preta, crianças desfilando com o uniforme dos "filhos da loba", brutamontes exaltados e armados de cassetetes gritando pelas ruas, um reitor que passeava pelos corredores e assustava os alunos bradando de repente *"Viva il Duce che ci conduce"* (viva o duce que nos lidera), e por aí vai.

Comecei a ler mais rápido. Passei pelo amor platônico que ele teve por uma moça que morreu de tuberculose (aqui já se via uma multiplicação de adjetivos, repentina e localizada) e cheguei à escolha da faculdade de medicina, que ele mesmo relacionava explicitamente com a morte da moça.

Em geral, o que dominava o texto era a sensação de que ele vivia num mundo que lhe parecia, quase sempre, mesquinho demais.

Passei mergulhado nessa leitura três noites, o domingo inteiro e vários intervalos entre um paciente e outro. Atendendo ao e-mail de Nicoletta, não me manifestei; esperava ter algo a dizer sobre os diários, mesmo que fosse a constatação final de que não tinha encontrado nada neles que me ajudasse a entender a última conversa de meu pai comigo. Mas, para isso, era preciso chegar ao fim.

Na quarta noite de leitura, a de segunda-feira, eu estava na metade de 1938; não havia uma data exata, mas tudo indicava que era início de agosto. Esbarrei numa lista que preenchia uma página inteira:

<u>Monte Oliveto Maggiore</u>
<u>Montalcino</u>
<u>Montalcino</u>
<u>Monteriggioni</u>
<u>Siena</u>
<u>Siena</u>

Exatamente assim. Só esses nomes, escritos numa letra maior do que a habitual, e todos sublinhados.

A entrada da página seguinte já inaugurava o tom meloso que eu conhecia das minhas antigas sondagens. Começava assim:

O amor absoluto, sublime, radiante, derrota qualquer sombra, invade e penetra os cantos escuros da minha alma.

A verdade é que eu mal conseguia ler. Era constrangedor, pior do que ver meu pai nu na cama com minha mãe (que nunca vi).

Essa explosão de paixão me envergonhava. Provavelmente porque sabia que ela iniciava a retórica de uma vida paralela, ou melhor, iniciava uma vida retórica e paralela, que duraria décadas.

Não valia a pena mandar um e-mail para Nicoletta. E também não havia por que acordá-la com um telefonema; em Florença, eram cinco da manhã. O que eu ia dizer? Sim, ele esteve em Monte Oliveto, foi em 1938?

Fiz um café e continuei lendo, como um revisor que procura erros por ofício, sem se dar o tempo da compreensão.

Quatro páginas à frente, um trecho chamou minha atenção por estar escrito de maneira totalmente diferente. Era a caligrafia de meu pai, certo, mas menos cursiva, como se ele estivesse escrevendo devagar, e o estilo não batia com o de antes. Parei.

Havia três blocos de texto, separados por linhas horizontais. Li com atenção e afinal entendi de que se tratava: eram cartas, três cartas que não eram dele e que ele tinha transcrito no diário, talvez para evitar que fossem encontradas e se tornassem objeto de conversa e escárnio (afinal, no mesmo apartamento viviam ele, a mãe, duas irmãs e dois irmãos; não devia haver muitos lugares onde esconder documentos íntimos). Ou talvez meu pai tivesse uma razão mais séria: podia pensar que seu diário era um documento perigoso, comprometedor aos olhos do regime. De fato, se os cadernos que eu tinha lido tivessem caído nas mãos de um censor, meu pai teria levado, no mínimo, a punição padrão: cacetadas e purgativo. Ora, se as cartas fossem, por exemplo, anexadas ao diário, poderiam expor e comprometer mais uma pessoa. Transcritas daquele modo, elas podiam passar despercebidas.

Os três blocos diziam assim:

Foi maravilhoso e durou seis dias. Qualquer outra coisa não faz sentido. Não é só a diferença de idade entre nós, é que eu me sentiria sufocada pela sua exuberância.

Além disso, não são tempos para o amor; e não há amor que possa melhorar nosso horizonte. Temos coisas para fazer. E é melhor fazê-las sozinhos, talvez com uma lembrança bonita no coração.

Pinin (Pinin era o apelido de meu pai, para os íntimos), *você é lindo e cheio de furores, quero lembrá-lo assim. Só isso.*

Ainda bem que D'Annunzio morreu. Você escreve como se quisesse ou precisasse se convencer dos sentimentos que expressa. Pinin, gosto de sua brabeza, a exaltação me cansa. Vamos deixar a exaltação para os fascistas. É isso que os perderá um dia.

Mas eu não vou me esquecer de você e de nossos dias. Foi o ar sereno não depois da tempestade, como dizia Leopardi, mas antes dela.

———————

Não, Pinin, eles não irão embora por conta própria, sem um empurrão. E não teremos como viver escondidos fazendo de conta que não estão aqui. Viu ontem as leis raciais? É só o começo.

Em menos de um ano, aposto que desaparecerá até a palhaçada que é o parlamento hoje. E estaremos em alguma guerra, ao lado dos "camaradas" alemães.

São tempos para o ódio, não para o amor. Tempos para agir em silêncio e segundo a consciência.

De novo, e mais do que nunca, te prometo que não vou me esquecer de nossos dias. Não tem como. Não me escreva mais.

Eu estava exausto. Sentei-me ao computador e mandei um e-mail para Nicoletta, relatando um pouco minhas impressões de leitura; também digitei na íntegra as três cartas.

Era fácil estabelecer a data em que foram escritas. Ou melhor, era óbvio que a última devia ser de 4 de setembro de 1938. Quem escreveu, aliás, tinha razão: o Parlamento estava condenado, e menos de um ano depois invadiríamos a Albânia.

Eu não conseguia dormir, mas nada que meio Lexotan não resolvesse.

Acordei com dificuldade às oito e fui direto para o computador. A resposta de Nicoletta estava lá:

To: carloantonini@aol.com
Subject: como se diz na América, bingo!
Oi, americano. Mistério quase desvendado: ele se apaixonou loucamente por uma mulher (quanto a isso, você agora pode parar de se preocupar). Essa mulher era mais vivida. Com ela, provavelmente, ele transou pela primeira vez e, de tanto amar, quase se esqueceu do mundo, que estava tétrico.

A amada o recolocou no caminho certo. Ou, então, a amada transvestiu a vontade de ser deixada em paz com o manto das virtudes cívicas. Tanto faz.

Vamos supor que a paixão tenha desabrochado em Monte Oliveto. Ele quis continuar o romance. E foi rejeitado em três cartas. Aparentemente, ele achou um jeito de ficar para sempre lá, perto de Siena e dos afrescos de Sodoma, com ela. Resolveu o problema vivendo meio período na Renascença.

Só não sei o que o quadro tem a ver com isso.

Decepcionado?

Americano, sinto sua falta.

Nicoletta

O resumo era provavelmente correto. Mas decidi que ia ler os diários até o fim. Ou ao menos folheá-los com bastante atenção.

A leitura me ocupava todo o tempo livre, sem falar das noites. Não ligava de volta aos amigos porque não tinha vontade de contar a ninguém essa história maluca.

Tampouco respondia aos telefonemas de Lucy e de Lois, que continuavam deixando recados com promessas de transas extravagantes. Atribuí esse meu desinteresse à presença agora constante e quase física de meu pai em minha vida.

Mas houve um telefonema que tomei a iniciativa de dar. Alessandro Casagrande tinha sido meu colega e meu único bom amigo durante os três primeiros anos de colégio. Nossa cumplicidade, na época, fora imediata, pois éramos os únicos em nossa classe que se interessavam pelo existencialismo francês. Eu o perdi de vista quando saí da Itália, mas nos reencontramos mais tarde, quando ambos estávamos na faculdade, embora em disciplinas e cidades diferentes. Tinha sido com ele, aliás, que eu visitara pela primeira vez, trinta e cinco anos antes, o Istituto Nazionale di Studi sul Rinascimento.

Não sei como, ele tinha abandonado o interesse por Savonarola para se dedicar à segurança pública, embora, a bem dizer, em matéria de controle do comportamento dos cidadãos, Savonarola (um fundamentalista apavorante) pudesse ser um bom exemplo. O fato é que, no começo dos anos 1990, minha mãe me contou que ele se tornara comissário de polícia em Milão.

Num dia de semana, por volta das dez da manhã em Nova York, liguei para o comissariado central da via Fatebenefratelli, em Milão, e pedi para falar com o comissário Casagrande.

"O comissário Casagrande da Segurança Pública?"

"Sim, por favor."

"Quem quer falar com ele?"

"Carlo Antonini, sou um amigo de longa data do comissário." E acrescentei, esperando que a informação convencesse o telefonista a passar a comunicação diretamente para ele: "Estou ligando de Nova York". Funcionou.

"Alessandro? É Carlo, Carlo Antonini."

"Caraaaaamba. Quem é vivo sempre aparece. Velho, que prazer, onde você está?"

"Estou morando em Nova York."

"Isso eu já sabia, mas onde você está agora?"

"Pois é, em Nova York."

"Carlo, adoraria falar dos velhos tempos, mas estou no meio de uma reunião. Fale aí seu e-mail que eu já te escrevo."

Dez minutos depois, eu recebia um e-mail de uma conta hotmail: "Ligue hoje à noite, lá pelas nove daqui", e em seguida havia um número com prefixo 02, de Milão.

Achei tudo um pouco misterioso, mas fiz conforme ele sugeriu.

Às nove horas de Milão, liguei, e Alessandro atendeu imediatamente.

"Desculpe, velho, mas prefiro não falar do telefone do escritório. Nunca se sabe o que está sendo gravado, nem por quem. Esta linha é segura."

"O que é, Alessandro, você está sendo investigado por alguma coisa?"

"Não, mas acontece que, quando um amigo que não vejo há anos me liga, é quase sempre para pedir algum favor. No mínimo, ele levou uma multa por excesso de velocidade que não quer pagar..."

Rimos juntos.

"Tem razão, Alessandro, estou ligando para lhe pedir mesmo um favor, mas não tenho multas na Itália, não se preocupe."

Trocamos as informações básicas sobre esposas, divórcios e filhos e, por fim, ele me perguntou qual era o assunto.

"Escute, é por causa de um quadro — sem valor, aliás — que encontrei num antiquário de Florença pouco tempo atrás."

"Florença é conosco mesmo", disse Alessandro, lembrando-se sem dúvida da nossa expedição florentina do passado.

"Pois é, esse quadro pertencia a uma família Nitti, de Florença. Aparentemente, fazia parte de um lote de obras acumuladas durante a guerra. Você sabe, a história clássica de corrupção: quadros trocados por favores. Nitti devia ser algum tipo de fascistão influente; pegava os quadros e se esquecia de deportar ou prender alguém."

"Até aqui tudo bem. Mas você quer o quê? Que eu mande a família devolver o butim de guerra?"

"Não, nada disso, o quadro não vale nada, é uma cópia e, de qualquer forma, já está comigo e me custou três mil euros.

Eu só quero encontrar os Nitti para descobrir se alguém da família sabe de onde veio o quadro, quem foi seu primeiro proprietário ou o autor."

"Três mil euros? Por uma cópia? O dólar anda forte nestes dias, velho. Ou então deve ter um mapa do tesouro escondido embaixo da pintura, fala a verdade."

De repente, me lembrei que Alessandro e eu também compartilhávamos um gosto por enigmas. Comprávamos em sociedade o grande semanário italiano de enigmas, *La Settimana Enigmistica*, e passávamos horas resolvendo palavras cruzadas, charadas e *rebus*.

"É quase isso. O quadro faz parte de um enigma que quero resolver. É possível que ele tenha alguma relação com um momento da vida de meu pai nos anos trinta; não tenho nenhuma prova disso, é apenas uma intuição. Vou ser claro e direto, velho, tanto mais que você conheceu bem o meu pai: se eu soubesse de onde vem o quadro e quem o pintou, talvez isso me ajudasse a descobrir quem foi a namorada de meu pai em 1938."

E aqui Alessandro caiu numa gargalhada que me contaminou.

"A namorada do doutor Pino em 1938?"

Nova gargalhada. Aos poucos ele se acalmou:

"E daí? Se você descobrir, o que acontece?"

Levei a pergunta a sério.

"Não acontece nada, acho. Só entenderei melhor o meu pai."

Alessandro desistiu do tom brincalhão. Como ficara órfão de pai bem cedo, não era difícil para ele simpatizar com o meu propósito.

"E como é que eu posso te ajudar a encontrar esses Nitti ex-fascistas?"

"Tenho uma pista: algum filho, neto, primo ou sobrinho

do tal Nitti esteve envolvido com as tramas pretas, parece que o nome dele saiu nos jornais quando foi investigado como mandante ou intermediário financeiro do atentado contra o trem *Italicus* em 1974."

"Opa", agora Alessandro já não brincava mesmo, "ainda bem que pedi para você ligar para cá. Esse é um daqueles temas que basta uma alusão para levantar bandeirinhas de alerta. Você sabe que até hoje essa investigação não foi concluída?"

"Sei, essa e mais uma dúzia de outras do mesmo tipo."

"É. E você só quer o nome e o endereço do sujeito, é isso? Mas, se você conseguir fazer contato com o Nitti, ele pode se apavorar e mandar matar você. Estou falando sério, Carlo, nessas investigações morreu gente em acidentes misteriosos, você sabe disso."

"Sei, sim. Mas eu não quero saber de nenhuma investigação sobre mandantes ou intermediários financeiros das tramas pretas. Só quero fazer uma pergunta inocente sobre um quadro."

"Entendo, mas o homem precisa deixar você fazer a pergunta. Escute, quando você pensa em voltar a Florença? Se é que eles estão em Florença..."

"Não tenho data, mas nesse caso eu até poderia fazer a viagem só para isso."

"É tão importante assim, é?"

"É."

"Velho", ele concluiu, "ligo para você assim que eu souber de alguma coisa, aí para este número de onde você está me chamando, ok?"

"Quase sempre cai na caixa postal."

"Aí mando um e-mail com as indicações para você me ligar, ok?"

* * *

Alessandro ligou exatamente vinte e quatro horas depois. E, por sorte, atendi o telefone. Ele conseguira levantar o nome de Virginio Nitti, o indiciado, que sumira pelo mundo, e sobretudo de Filomena Nitti, a matriarca da família. Havia um endereço no nome dela em Florença, na via dei Tavolini. Alessandro insistiu que eu anotasse o telefone de um colega seu, aposentado, o ex-comissário Giannini, que participara das investigações sobre o *Italicus* e que, por algum milagre, tinha conseguido construir e manter uma relação de confiança com Filomena Nitti. Segundo constava, ela ainda estava viva. Eu deveria contatar Giannini, que organizaria meu encontro com a sra. Nitti.

Voltei à leitura dos diários.

Avançava a um bom ritmo, um ano e meio por noite. Além disso, de setembro de 1943 ao verão de 1945, as entradas eram escassas e secas, sem a retórica do amor "sublime" que transfigura, ilumina e coisa e tal.

Infelizmente, meu pai não contava quase nada sobre o começo de sua clandestinidade e sobre a fuga para as montanhas. O nascimento de meu irmão, que aconteceu em meio ao estorvo da Segunda Guerra, também não figurava em lugar nenhum (com isso, ao menos, eu não tinha por que me enciumar).

A maioria das entradas desses anos eram reflexões sobre a guerra, quase sempre amargas. Freqüentemente, apenas citações de Tácito e Sêneca. Deviam ser os únicos autores que ele carregara consigo na mochila.

Algumas pérolas me recompensavam pelo esforço.

No inverno de 1944:

Montanhas da Grigna. Não sei se sairemos vivos daqui. Pelo que todo indica, ganharemos, os aliados já estão chegando. Mas ganharemos mortos. Só gostaria que quem contasse nossa história, depois, não nos tornasse melhores do que somos ou éramos, sei lá. O frio, a sujeira e a fome são pouca coisa comparados com este fato estranho: já não sei bem por que estou aqui. Na ação, o sentido se perde. O sentido se mantém mais facilmente nos sonhos.

Depois da libertação:

18 de maio de 1945. Tenho nojo da vingança de quem ganhou. Éramos melhores só antes de ganhar.

Enfim, no domingo à tarde, logo depois dessa entrada, dei com um novo bloco de texto entre duas linhas horizontais, com o mesmo tipo de caligrafia hesitante que havia me assinalado as três cartas de 1938. Era mais uma carta, desta vez certamente transcrita no diário por outra razão: o pudor de um homem casado.

Pois é, rompo o silêncio para saber se você está vivo.

Encontrei ontem Maianni. Você se lembra de Maianni (estivemos na casa dele, duas noites, em Montalcino, lá perto da farmácia Salviati, e ele foi a Siena conosco — claro que se lembra, acho que, mais tarde, vocês fizeram uma especialização juntos).

Maianni me disse que tinha notícias suas. Sabia que você esteve na Grigna no inverno de 44; todos conheciam você, o médico com a mulher e o nenê loirinho, para cima e para baixo.

Maianni, que me deu este endereço e me assegurou que é o de seu consultório, me disse também que você brigou com o Comitê de Libertação, porque queriam matar um marechal dos carabinieri, e você o ajudou a fugir. Gostei dessa história, mas se cuide.

Bellini (estivemos com ele em Monteriggioni, na casa do tio dele) morreu; foi pego, lá perto do Monte Maggio, e fuzilado.

Você se lembra de Carraccio, o estudante de direito que encontramos em Siena? Ele subiu para o nosso quarto, no Continental, no primeiro dia, para tomar café conosco. Pois bem, Carraccio foi deportado. Não voltou ainda, mas alguns que chegaram da Alemanha dizem que ele está vivo.

Quanto ao hotel Continental, você perdeu a aposta: na semana passada, voltei para o nosso quarto e me deixaram furar o teto. Eu tinha razão: é um teto falso, de gesso, que esconde afrescos que não deu para ver, talvez do século XVII, como o edifício, talvez crostas do século XIX. Um dia alguém vai quebrar tudo aquilo, e pode ficar bonito, viu?

Mande uma carta, sem escrever nada, pode ser um envelope vazio, só quero saber que você está vivo. Eu estou.

Esperei um pouco mais para comunicar meu novo achado a Nicoletta. Queria chegar ao fim dos diários.

Os anos 1960, 1970 e 1980 foram um tédio de poesia forçada. Meu pai tinha se instalado na Arcádia. Teria sido melhor, talvez, que esta última carta não tivesse chegado até ele, pois era a partir dela que meu pai (aquela parte dele que era autora dos diários) parecia ter renunciado ao mundo dos comuns mortais.

No fim da tarde de sexta-feira, terminei a leitura dos diários. Escrevi um e-mail para Nicoletta. Nele digitei toda a carta de 1945 e expliquei que eu tinha esperado terminar a leitura dos diários (interrompidos na morte de minha mãe) para voltar a escrever para ela. No fim da mensagem, acrescentei:

Não vai adiantar muito, mas só me resta seguir as pistas. Quero passar por Montalcino, Monteriggioni e Siena e perguntar se os nomes significam algo para alguém.

No mínimo, como em Monte Oliveto, quero colocar, por um momento, meus pés nas pegadas dele.

Também acho que descobri os antigos proprietários do quadro.

Você me acompanha?

Carlo

Era meia-noite em Florença, e Nicoletta ainda devia estar acordada e sentada diante do computador, porque a resposta chegou imediatamente:

To: carloantonini@aol.com
Subject: Re: pistas
Venha,
Nicoletta

Peguei o telefone e liguei para a minha agente de viagem. Eu sabia que Karina faria o milagre de encontrar um assento em algum vôo para o dia seguinte. Sem sequer esperar a resposta, disparei um e-mail para meus pacientes, anunciando que viajaria por uma semana. Por sorte, ainda era pleno verão, e muitos não tinham voltado das férias.

Na manhã seguinte, um sábado, ainda em casa, liguei para o comissário aposentado Giannini, o contato de Alessandro em Florença. Ele foi simpático e cordial, embora a relevância de minha "investigação", como ele disse, lhe parecesse duvidosa. Mas ele se dispôs a servir de intermediário, e tentaria marcar um encontro com Filomena Nitti para segunda-feira.

"Me ligue assim que chegar a Florença", concluiu, "para confirmar."

Saí de Nova York à noite. Só na última hora me lembrei de fotografar o quadro e imprimir uma cópia, que enfiei na mala.

6. Florença de novo

Cheguei a Florença no domingo, por volta do meio-dia, e fui direto ao apartamento de Nicoletta. Senti, mais do que nunca, aquela sensação de que eu tinha voltado para casa e que tudo era simples, até meu desejo por ela.

Mais tarde, liguei para o comissário Giannini avisando que já estava em Florença. Ele havia marcado um encontro meu com Filomena Nitti para o dia seguinte, segunda-feira, na casa dela, na via dei Tavolini, às duas da tarde. Nicoletta tinha pedido licença do Institut a partir de terça-feira, quando iríamos percorrer os arredores de Siena.

No que restava do dia, passeamos pelas ruas, quentes e cheias de turistas.

Por volta das quatro da tarde, passamos, por acaso, por San Lorenzo. No domingo, a basílica costuma estar fechada para os turistas, mas, como a porta estava entreaberta naquele momento, eu disse:

"Quero te mostrar uma coisa. Será que dá para entrar e chegar até a Sacrestia Vecchia?"

Nicoletta empurrou a porta e foi imediatamente reconhecida por um dos homens que conversavam no interior da igreja, perto da entrada; talvez fosse um curador. Ela se afastou para falar alguns minutos com ele, e logo ele nos deixou passar, dizendo:

"O caminho até a Sacrestia Vecchia está aberto, mas não fique muito tempo, está bem, Nicoletta?"

Fomos direto para a Sacrestia Vecchia, que é um pequeno milagre de Brunelleschi. À primeira vista, o lugar não parece grande coisa, é despojado, simples, mas aos poucos ele vai transmitindo uma sensação de confiança no mundo, na possibilidade de ele obedecer a um sonho da razão em que funcionalidade e elegância coincidiriam sem esforço, com parcimônia de traços e elementos. Não é só isso: é o sonho de um mundo que não precisaria de explicação alguma, que se justificaria por si só, por sua beleza. A luz descia e inundava cada canto da sacristia, uniformemente.

"E então?", perguntou Nicoletta quando paramos no meio da Sacrestia Vecchia.

"Então", eu disse, "é isto: estar com você é como viver aqui. E sem as esculturas de Donatello, que Brunelleschi detestava. Quando estou com você tudo me parece claro e natural, simples e bonito. Agora, de fato eu não sou assim. Venha, talvez ainda dê tempo."

Peguei sua mão, saímos da basílica e a contornamos até chegarmos ao Museo delle Cappelle Medicee. O museu estava fechando, mas de novo Nicoletta foi reconhecida e nos deixaram entrar — e sem que precisássemos comprar ingressos.

Abri caminho, um caminho que eu conhecia bem, até a Cappella dei Principi.

A Cappella dei Principi foi construída apenas um século depois da Sacrestia Vecchia, segundo o desenho de Don Giovanni dei Medici, irmão do duque e, provavelmente, um maníaco por grandeza. É o oposto da Sacrestia Vecchia: imponente, barroca, opulenta, pesada, cheia de volutas desnecessárias, com uma multiplicação absurda de cores diferentes; os desenhos no chão de mármore evocam a loja de um mercador de tapetes persas enlouquecido. A luz se perde em cantos mais escuros ou em outros francamente sombrios.

"Na verdade, é assim que eu sou", eu disse, "parecido com este horror barroco, complicado sem necessidade, pomposo, falsamente elegante e, sobretudo, atormentado. É um tipo de arquitetura que evoca mais Roma que Florença — a Roma papal barroca, a Roma da Contra-Reforma, feita de desejos inconfessáveis, repetidos compulsivamente, culpados e por isso mesmo praticados até a náusea. É a Roma dos bastidores de um poder que goza sem limites e com um falso pudor — que é a pior maneira de gozar."

Eu não sabia se estava conseguindo me explicar. Insisti:

"Se a Cappella dei Principi é a Roma barroca, a Sacrestia Vecchia, a de Brunelleschi, é Florença. A Florença da Renascença. Não é nenhum paraíso; o pessoal também se odeia e se mata, se for preciso, mas vive na luz."

Fiquei um momento em silêncio. Depois acrescentei:

"Queria lhe dizer que eu venho de Roma e que você é a minha Florença."

Nicoletta pegou minha mão olhando para a cúpula da Cappella dei Principi e disse, me comovendo às lágrimas:

"Eu estou com você, em Florença ou em Roma."

Eu tinha que beijá-la. Por sorte não havia mais ninguém na Cappella dei Principi.

No dia seguinte, enquanto Nicoletta estava no Institut, fui para a via dei Tavolini bem antes da hora marcada. O edifício dos Nitti era ao lado do Paoli, um tradicional restaurante florentino. Almocei lá sozinho, com calma.

Às cinco para as duas, toquei a campainha do apartamento número 3 e, sem me perguntar nada, uma voz disse: "Primeiro andar".

Uma empregada de uniforme abriu a porta e me introduziu numa sala um pouco escura, decorada com uma mistura pesada de móveis Louis-Philippe e Napoleão III, com grandes tapetes persas no chão e cortinas de veludo nas duas janelas. Dona Filomena Nitti estava sentada perto de uma das janelas, numa poltrona Voltaire; não se levantou e com um gesto me indicou uma poltrona menor e baixa à sua frente.

Uma vez sentado, tentei um sorriso que não surtiu efeito algum.

"Dona Filomena, sei que meu pedido pode parecer estranho, mas venho lhe perguntar se a senhora se lembra de um quadro que talvez a senhora mesma tenha vendido nos anos sessenta."

Dona Filomena continuou em silêncio, imperturbável.

"Era um quadro de pouco, ou de nenhum valor; parecia uma tela da Renascença, mas, de fato, era uma cópia feita em 1940 ou 50."

Tinha comigo a fotografia do quadro e me levantei para entregá-la a dona Filomena. Ela pegou a reprodução e não disse nada. Comecei a achar que não estivesse entendendo o que eu dizia. Mas continuei.

"É um quadro pequeno, de oitenta por setenta centímetros, mais ou menos". Repeti: "Eu sei que parece curioso eu me interessar tanto por esse quadro. Seria muito longo eu lhe explicar por quê, mas acontece que o copista introduziu no quadro alguns elementos que talvez me tragam uma luz sobre um momento da vida de meu pai, que morreu há doze anos". Eu estava tentando tudo. A menção à morte de meu pai talvez a comovesse. Achei bom acrescentar:

"O quadro é meu agora e não tenho nenhuma intenção de incomodar a senhora; só queria lhe pedir a gentileza de examinar a reprodução e me dizer se, por acaso, a senhora sabe de onde o quadro veio, como a senhora ou seu marido o conseguiu."

Antes de terminar essa frase infeliz, já sabia que tinha enveredado pelo caminho errado.

Dona Filomena reagiu indignada e com uma energia que parecia não condizer com sua idade: "Você quer saber como nós conseguimos este quadro? Você suspeita do quê? Que meu marido roubava quadros de judeus e comunistas?".

Respondi: "Sinceramente, senhora, neste momento, essa é uma questão que não me interessa".

"Mas é o que você pensa, não é? Faz cinqüenta anos que vocês nos perseguem só porque fomos fascistas, porque acreditávamos numa pátria maior, mais forte, mais justa...Você queria o quê? Entregar a Itália a uma turba repugnante de bêbados invejosos? A Stálin? Às Brigadas Vermelhas? É isso?"

Dona Filomena parecia descontrolada. E eu, na verdade, não sabia por onde recomeçar. Argumentar estava fora de questão, concordar também. Tentei:

"Dona Filomena, não gosto de terrorismo, não gosto de turbas e não gosto de ditadores, seja qual for a cor que eles usem, vermelho ou preto. Mas isso não vem ao caso. Podemos ter idéias diferentes. Eu só peço que a senhora me ajude a descobrir quem fez esta cópia que, tudo indica, foi parar na sua casa."

Dona Filomena por fim se rendeu, provavelmente não às minhas palavras, mas à vontade de me ver logo fora de sua casa — vontade que eu, aliás, compartilhava.

"Meu marido era um homem de grande cultura", ela disse, "ele protegia os artistas, os poetas. Na nossa casa passaram os maiores espíritos de Florença. Era normal que alguns o homenageassem com um presente, com alguma obra."

"Claro", tentei encorajá-la. E ela lançou, enfim, um olhar minimamente atento para a reprodução que tinha nas mãos. "Este quadro esteve, sim, na nossa casa. Precisei vendê-lo quando meu marido morreu. Ele morreu de tristeza pelo que estavam fazendo com a sua Itália."

Eu tinha que impedir que ela voltasse a se irritar. "Sinto muito, dona Filomena... A senhora sabe quem ofereceu este quadro a seu marido?"

"Não faço a menor idéia."

Parecia ser mesmo sua última palavra. Levantei-me, recuperei a reprodução do quadro, um tanto amassada pelas mãos nervosas de dona Filomena, e me despedi.

Tudo o que eu queria era encontrar Nicoletta, relatar brevemente esse encontro um pouco sinistro com Filomena Nitti e esquecê-lo, para então só pensar na viagem do dia seguinte.

7. Siena e arredores

Saímos, então, numa terça-feira, de manhã cedo, com Nicoletta ao volante.

Em 1938, meu pai não dirigia; em sua excursão pelo campo ao redor de Siena, quem devia estar dirigindo também era a mulher que ele acabava de conhecer, provavelmente em Monte Oliveto. Talvez ela já estivesse em companhia de alguns amigos. Qual terá sido o carro? Um Fiat Balilla, apostei comigo mesmo.

Fomos primeiro a Monte Oliveto, apenas para rever os afrescos. Ficamos cerca de duas horas indo e voltando entre o jovem camponês e a nossa Flora. Passamos a chamar assim, definitivamente, a mulher do afresco das más fêmeas, que reaparecia de maneira misteriosa no quadro que tínhamos encontrado na via Maggio. Também paramos diante do auto-retrato de Sodoma, como se quiséssemos questioná-lo: "Giovanni Bazzi dito o Sodoma, quem são esse camponês e essa moça?".

Na saída, Nicoletta brincou, lembrando-se do quadro: "Você leu algum romance da série Harry Potter?"

"Vários, e com prazer", respondi.

"Talvez os afrescos de Sodoma sejam como os quadros nos livros de Harry Potter: as personagens são vivas, animadas, e circulam de um afresco para outro. Vai ver que a moça de azul estava aborrecida de ficar sempre naquele afresco com os monges e resolveu flertar com o camponês no afresco dele, e alguém por acaso fez uma cópia bem naquele momento."
Enquanto nos dirigíamos a Montalcino, ficamos imaginando aquela situação dentro de um museu.

"Por exemplo", eu comecei, "um dia você chega àquela sala dos Uffizi em que estão, frente a frente, o retrato de Battista Sforza e o de seu marido, Federico da Montefeltro, e eis que o da Battista está vazio. Não há nada lá, só o campo e o céu. Battista cansou de olhar para o marido de longe e deu um pulo no retrato dele, e ali estão os dois, juntos, se beijando e matando uma saudade de meio milênio."

"Pois é", continuou Nicoletta, "e as telas de Caravaggio estariam vazias. Todos os homens musculosos, barbudos e bigodudos, que normalmente estão nos quadros dele e de sua escola, lotariam as telas de Botticelli para colocar as mãos na Vênus ou nas moças da *Primavera*, que, aliás, ninguém conseguiria mais enxergar atrás das costas largas daqueles homenzarrões afoitos."

Estávamos de bom humor.

"E os mártires?", eu disse. "Você não acha que eles estão cansados de ficar tantos séculos vivendo seu suplício? Eles bem que poderiam dar um volta de vez em quando, sei lá, por uma paisagem ou numa taverna flamenga, para tomar um chope."

"É", comentou Nicoletta, "acho que firme mesmo no seu lugar só ficaria o Cristo."

"*Per omnia saecula saeculorum*", pelos séculos dos séculos, concluí.

Em Montalcino, a farmácia Salviati ainda existia e prosperava, ao lado da Loggia comunal. Bem em frente, um café oferecia *bruschette* e uma seleção de Brunellos abertos. Sentamos e aproveitamos.

Difícil imaginar o que era Montalcino em 1938. O Brunello existe desde o fim do século XIX, mas, por mais que os conhecedores avisados soubessem, o vinho só se tornou uma marca registrada depois da Segunda Guerra e um sucesso mundial sobretudo a partir de 1980. Além disso, os anos trinta foram um desastre para as vinhas, a praga da filoxera destruiu os vinhedos. Em suma, Montalcino devia ser muito diferente, sem turistas e apenas com os viticultores locais e a pobreza.

Mas justamente por isso, aos olhos de meu pai, essa vila devia parecer um mundo encantado, estagnado no tempo. E ele gostava de parar no tempo. Parar no tempo ou voltar atrás parecia ser seu jeito preferido de reagir à feiúra do mundo.

Lembrei-me de que, numa de suas raras confidências, meu pai tinha me contado que, em 1940, quando era médico alistado a contragosto no Exército italiano, em Brindisi, um dia foi informado de que na manhã seguinte sua unidade participaria da invasão da Grécia. Ele e um amigo que, antes de ser recrutado, ensinava literatura grega na Estadual de Milão passaram a noite declamando poemas líricos e tragédias da Grécia antiga. No dia seguinte, a unidade de meu pai não partiu. A de seu amigo, sim, e ele morreu na primeira escaramuça. Segundo disseram, jogou-se contra o fogo "inimigo" de braços abertos.

Perguntamos aos jovens que pareciam ser *habitués* do café se conheciam a família Maianni. Ninguém sabia de nada. Tivemos mais sorte com um dos velhos sentados na Loggia. Ele se lembrava, sim. Os Maianni haviam morado ali perto, numa das casas do mesmo lado da farmácia, que dão vista para o campo aberto, do alto de Montalcino. Mas não sabia bem qual era a casa. Tinha sido há muito tempo. No fim da guerra, só sobrara o filho, que era médico, e ele vendeu a casa e foi para Milão. Pena, porque naquela época não havia muitos médicos em Montalcino.

Tentamos na própria farmácia e nas lojas para turistas ao longo daquele trecho de rua. Ninguém mais se lembrava da família, o nome Maianni não evocava nada.

"Quem sabe", eu disse a Nicoletta, "um dia eu tente ir atrás de um Maianni médico, em Milão. Só que a esta altura ele deve estar morto. E duvido que tenha contado a filhos e netos sobre os detalhes e os personagens de um passeio pelos arredores de Siena no verão de 1938."

Nicoletta estava parada na frente de um dos hotéis do mesmo lado da rua em que ficava a farmácia e, supostamente, a casa dos Maianni. Pelo que sabíamos, o próprio hotel poderia ter sido a casa dos Maianni.

"Vamos dormir aqui?", ela propôs.

Por sorte, ou talvez por ser início de semana, havia um quarto disponível. Ele dava para o campo, tinha chão antigo de terracota vermelha, uma cama grande de ferro e duas janelas que mostravam as colinas a perder de vista.

Passamos a noite de janelas abertas. Tínhamos levado uma garrafa de Brunello para o quarto, e foi difícil dormir, talvez por causa do vinho. Transamos na janela, devagar, em meio aos sons, ao cheiro e à vista da noite nos vales.

O gerente tinha dito que o hotel não era a antiga casa da família Maianni, que ele não conhecia. Mesmo assim, meu prazer tinha uma veia melancólica: era como se eu estivesse imitando os gestos de meu pai garoto. Imaginava a estranheza de sua experiência: depois do claustro de Monte Oliveto, o encontro com uma mulher, talvez o primeiro de sua vida, um grupo de amigos (provavelmente muito menos desengonçados do que ele) e as duas noites num quarto como este. Ele só podia imaginar que toda a feiúra do mundo estava vencida, longe, apagada, que entrara num paraíso de onde nunca aceitaria ser expulso. Conseguimos dormir com a primeira luz e acordamos ao meio-dia.

Chegamos a Monteriggioni por volta das três da tarde. Eu tinha reservado um quarto no único hotel que existe, atualmente, dentro das muralhas do vilarejo: o hotel Monteriggioni. Em 1938, sem turismo nenhum, Monteriggioni era ainda mais pobre que Montalcino, pois a região não era vitícola. Na praça, onde hoje há um restaurante, um café e lojas para turistas, só circulavam carros de bois. As muralhas medievais intactas, que ainda delimitam perfeitamente o vilarejo, deviam reforçar a impressão de uma viagem no tempo. O passado tinha sido brutal, e meu pai certamente sabia disso. Monteriggioni fora um forte de Siena, um posto avançado de defesa contra os florentinos, e só caiu por causa da traição de seu comandante. Mas, revisitado em agosto de 1938, esse passado devia parecer menos mesquinho do que era, então, o presente.

Em Monteriggioni, tivemos menos sorte ainda que em Montalcino. Bellini talvez nem fosse o nome do tio que havia hospedado meu pai e sua amada, mas o nome do sobrinho. Nossas perguntas caíram no vazio.

Muitos sabiam, entretanto, que ali perto, no Monte Maggio, em 1944, a milícia fascista tinha surpreendido e fuzilado um grupo de jovens resistentes.

No dia seguinte, acordamos cedo e fizemos a volta completa do Monte. Encontramos a fazendola, hoje vazia, onde os jovens viviam clandestinamente e para onde as famílias, às escondidas, levavam suprimentos. Era uma casa bem conservada no meio dos bosques; no pasto ao lado, havia uma guirlanda de flores em memória dos mortos: ali tinham sido presos.

Continuamos a volta de Monte Maggio e na descida para Monteriggioni encontramos um monumento que marcava o lugar do fuzilamento. Era um homem deitado, de granito; ao lado da estátua, uma placa transparente trazia o nome de todos os jovens fuzilados e contava a história de sua prisão e execução. Na lista, nenhum Bellini.

Voltamos a Monteriggioni. Lá, numa livraria, encontramos um livro que registrava a memória oral do vilarejo durante os anos de guerra. Sentamos num restaurante da praça central e passamos o almoço lendo. A história da Resistência na região não se resumia apenas ao episódio do Monte Maggio. Mesmo assim, nenhum Bellini.

Seguimos para Siena.

Nicoletta tinha descoberto que o Hotel Continental, em 1938, era provavelmente o melhor da cidade. Margherita, rainha de Itália, havia se hospedado ali certa vez.

Depois da guerra, o hotel decaíra progressivamente, até ser comprado e restaurado por uma rede de hotéis de alto luxo. Agora se chamava Grand Hotel Continental. Ficava na via dei Banchi di Sopra, pertíssimo da Piazza del Campo.

Quando estávamos em Montalcino, Nicoletta, lembrando-se da carta da amada de meu pai, telefonara ao Grand Hotel Continental para perguntar se, nas obras de restauração, alguns dos falsos tetos demolidos tinham revelado afrescos. Pediram que ela ligasse mais tarde. Na terceira ligação, soubemos, enfim, que as obras haviam revelado afrescos nos quartos que eram agora as suítes do hotel. Reservamos, então, uma suíte com afrescos.

O hotel, um palácio do século XVII, foi uma decepção; esforçava-se demais para seduzir turistas desejosos de viver alguns dias no mesmo esplendor dos palácios descritos nos guias de viagem. Na chegada dos hóspedes aos quartos, medíocres aparelhos de som difundiam uma trivial música clássica, que, supostamente, tinha a missão de nos convencer de que fazíamos parte de uma corte principesca.

Em alguns cômodos, a retirada dos tetos falsos tinha revelado, além dos afrescos, um pé-direito de seis metros. A "restauração" transformara esses quartos em suítes criando um mezanino e, nele, uma saleta de televisão. Do mezanino podia-se ver os afrescos de perto. De fato, eram decorações com um medalhão central, que no caso do nosso quarto era a reinterpretação romântica de uma cena mitológica, de péssima mão: uma crosta do século XIX.

Seja como for, a amada de meu pai tinha razão: havia afrescos acima dos tetos falsos. E também, segundo uma de suas previsões, eram crostas.

Nicoletta comentou: "Tinha afrescos, sim. Mas talvez tivesse sido melhor deixá-los escondidos".

Em compensação, as janelas revelavam o Duomo e a igreja de San Domenico.

"É engraçado", observou Nicoletta, "logo San Domenico, onde, vinte e cinco anos depois de Monte Oliveto, Sodoma pintou o ciclo de afrescos da história de santa Caterina."

O hotel era absurdamente caro. Mesmo que o velho Continental fosse mais acessível em 1938, ele ainda devia estar fora do alcance do bolso de meu pai. De fato, o hotel devia pertencer a um universo que ele desconhecia.

Pela repetição do nome da cidade no diário, eles teriam ficado dois dias em Siena, neste hotel, num quarto com um teto falso que escondia afrescos, talvez o mesmo que o nosso.

Depois disso, ele provavelmente tinha voltado para o litoral, e ela para a sua cidade. Se ela fosse de Siena, não teria escolhido viver aquela paixão no maior hotel local. Não eram anos para isso. Teria levado meu pai à casa dela, ou teria preferido outra cidade.

No dia seguinte, uma sexta-feira, almoçamos cedo na Piazza del Campo, que parece o cenário que um diretor de arte demasiadamente zeloso criaria para mostrar a grandeza do início da Renascença italiana desde o século XIV.

"Pois é", comentei, "meu pai e sua amada colecionaram os lugares certos para poderem acreditar que estavam vivendo num outro mundo. E meu pai ficou com essa crença para sempre."

"Primeiro o claustro, depois Montalcino perdido no alto de uma colina, Monteriggioni, que é uma fortificação, e agora Siena, bem no centro, ao lado da Piazza del Campo. É a tentação do amor, não é? A ilha deserta, a cabana no norte do Canadá. Por que não a Renascença italiana?", disse Nicoletta.

"A moral da história é que meu pai se casou com uma mulher com quem cumpriu o seu dever, combateu, teve filhos, trabalhou. Mas amou outra, perdidamente, por seis dias e para o resto da vida. Inventou uma maneira de encontrá-la às escondidas sempre que podia. Meu pai era diferente das personagens que circulariam entre os quadros, como a nossa Flora: ele entrava nos quadros para encontrar sua amada. Passeava com ela por cidades imaginárias, medievais e renascentistas; todo o seu interesse pela arte sacra dos séculos quinze e dezesseis não passava de um truque para ele poder entrar nos quadros e circular pelas ruas e pelos caminhos que são o pano de fundo das pinturas. É ali que ele encontrava sua amada."

"Ele tinha bom gosto", observou Nicoletta. "Eu sempre tive um carinho especial pelo fundo dos afrescos e dos quadros. É nos fundos que a Renascença se expressa. Embora estejam no

centro das composições, as pietás, as madonas, as flagelações, as santas ceias, os martírios et cetera talvez sejam apenas um pretexto para que se possa pintar o resto, o homem lá no fundo puxando o seu burrinho ou o camponês trabalhando na sua terra."
Ela fez uma pausa e depois prosseguiu:
"Às vezes, nem é preciso que isso aconteça no fundo. Nos afrescos de Monte Oliveto, há os episódios da vida de são Bento, que talvez sejam apenas pretextos, e há figuras que não têm nada a ver com aquela passagem da vida do santo, mas estão na frente, em destaque, como o jovem camponês, a Flora, o próprio Sodoma e não sei quantos outros. De qualquer forma, a Renascença é a alegria de poder gostar dos homens a ponto de pintá-los. E, para pintá-los, era preciso colocá-los ao lado ou atrás de um santo ou coisa que o valha."
Eu só podia concordar: "Sabe quem é, de longe, o meu pintor renascentista preferido?".
"É um jogo? É para eu adivinhar?"
"Não", respondi. "Vou lhe dizer, mas você adivinharia em três tentativas se eu lhe dissesse que minhas preferências confirmam o que você acaba de dizer. É o Carpaccio das histórias de Santa Ursula na Academia de Veneza. E é exatamente o que você disse: a alegria de pintar não está nos episódios da vida da santa, está no povo que se vê nas margens e no fundo."
Eu precisava dividir com ela uma leve irritação que estava tomando conta de mim: "Sabe o que me aborrece? É que passei domingos chatos e intermináveis sendo forçado a contemplar afrescos e pinturas, quando tudo o que eu queria era esquiar ou mergulhar no mar, dependendo da estação do ano. Eu achava que aqueles passeios se deviam a uma paixão intelectual superior do meu pai. Achava que eram alguma coisa que eu entenderia, quem sabe, mais tarde, algo que era para a mente de gente grande. Na verdade, não era nada disso. Acontecia comigo um

pouco o que acontece com aquelas crianças a quem mandam esperar no carro enquanto o pai visita a casa da amante".

Nosso riso acabou com minha irritação incipiente. Voltamos para o hotel abraçados.

Mas eu sentia Nicoletta um pouco distante, pensativa.

Já no quarto, ela se sentou na minha frente e disse, com um tom de voz grave que me surpreendeu: "Há uma coisa que quero lhe dizer já faz algum tempo, uma coisa que eu deveria ter dito assim que você chegou".

Esperei. Nicoletta retomou:

"Escute, existe um Carraccio, Aldo Carraccio, de Siena, advogado. Ele pratica, ou praticou, direito de família durante anos. E teve dois filhos. Os dois também são advogados".

"Você os conhece pessoalmente ou são figuras públicas?"

"Conheci o pai e um pouco os filhos. O pai era um bom amigo da minha avó."

Ficamos em silêncio. Nicoletta tinha lido o nome Carraccio no último e-mail que eu lhe enviara de Nova York e no qual eu havia transcrito a quarta carta da amada de meu pai. E eu sabia por que ela não tinha dito nada até agora. E ela sabia que eu sabia.

Obviamente, já fazia algum tempo que nós dois, cada um do seu lado, sem dizer nada ao outro, estávamos brincando com a suspeita de que a mulher misteriosa com quem meu pai descobrira o amor pudesse ser dona Bice.

"Entendo", eu disse enfim. "Também pensei, mais de uma vez, que a amada de meu pai podia ser sua avó."

"É engraçado", disse Nicoletta, sem jeito, "mas é como se eu não quisesse pensar nessa possibilidade."

Perguntei: "Em mim, essa idéia surgiu quando encontramos o quadro. E para você? Também foi o quadro?".

"Sim e não. Minha avó gostava muito de Monte Oliveto,

e a cópia era boa, podia ser dela. Também em Florença não tinha tanta gente assim que pudesse pintar uma brincadeira daquela com graça. Além disso, durante a guerra, ela fazia um monte de coisas perigosas, hospedava resistentes, levava recados para cima e para baixo. Sob pretexto da preservação dos monumentos artísticos, conseguia se movimentar, tinha autorização para isso. Mas ninguém é totalmente burro."

Nicoletta pareceu puxar um pouco mais pela memória e depois prosseguiu.

"Ela mesma me disse que mais de uma vez comprou sua vida e a da minha mãe com obras de arte. Alguém ia ao seu ateliê, lá em casa, e levava duas ou três. Um idiota, como o Nitti, poderia ter pedido a cópia de Monte Oliveto pensando que fosse uma obra renascentista, e ela não teve alternativa se não deixar que ele a levasse. Mas me parecia tão louco, tudo isso me parecia tão louco... Na época eu não lhe contei, mas, enquanto você lia os diários de seu pai, eu fiz uma devassa nos papéis da minha avó. Não encontrei nada."

Nicoletta veio se sentar perto de mim, no chão, ao lado de minha poltrona. Continuou:

"Então, para mim, a suspeita começou com o quadro, sim, mas ela se confirmou quando li no seu e-mail o nome Carraccio e a história deste hotel. Minha avó uma vez comentou que havia afrescos por trás dos tetos falsos do Continental, não me lembro exatamente quando nem com quem ela falou disso."

"Mas por que ela teria pintado aquela cópia modificada?", perguntei. Já imaginava a resposta, mas deixei que Nicoletta respondesse.

"Por amor", ela disse, "para se lembrar do encontro de Monte Oliveto. Não basta?"

Depois de alguns minutos em silêncio, ela acrescentou: "Mas há um jeito de saber com certeza se o quadro é dela".

"Qual?", perguntei.

"Minha avó sempre assinava suas cópias e imitações; era uma copista, e não uma falsária."

"Mas o quadro não tem assinatura."

"Em geral, os clientes queriam cópias que parecessem verdadeiras, para impressionar os convidados. Ela não assinava na tela, assinava na lateral, nos centímetros de tela que recobrem o chassi. Essa parte sempre fica bem escondida pela moldura. Geralmente, ela assinava à direita de quem olha para o quadro."

"E por que você não olhou se o quadro tinha a assinatura dela, quando o compramos, em Florença?"

"Acho que não quis."

A vantagem de ter amigos escritores é que é fácil encontrá-los a qualquer hora para lhes pedir algum favor. Eles estão sempre sentados à sua mesa. Eram três da tarde em Siena, quatro ou cinco horas mais cedo em Nova York, e a essa altura Philip ainda deveria estar sóbrio. Liguei. Deu caixa postal. Tentei Gerald.

"Gerald? Oi, é o Carlo. Você tem um pouco de tempo? Preciso te pedir um enorme favor. Depois te explico, é uma história louca e comprida, mas estou na Itália, em Siena, e preciso saber se há uma assinatura num quadro que está no meu escritório. Escute, é simples: eu ligo para Larry, o porteiro do meu prédio, ele vai lhe dar a chave. Vou pedir que ele também chame alguém da manutenção, com um alicate. Atrás da moldura há preguinhos que fixam o quadro, é preciso retirar o quadro da moldura. A assinatura, se é que há uma assinatura lá, é isso que você vai verificar para mim, está escondida no pedaço de tela que está dobrada sobre a madeira do chassi."

Gerald gostou da proposta. Amigos escritores também

topam qualquer coisa que justifique uma fuga de sua mesa de trabalho de vez em quando. Mas ele era proverbialmente desajeitado em matéria de serviços manuais.

"Não se preocupe. Você só precisa cuidar para que o aloprado da manutenção não destrua o quadro. E, claro, depois disso, tentar ler a assinatura. Você poderia ir imediatamente? Sim, pegue um táxi. Vou telefonar agora para o Larry. E você me liga do meu apartamento."

Ele anotou o telefone do hotel Continental e o número do nosso quarto. E disse que iria em seguida para o meu apartamento. Liguei para Larry e dei as instruções. Sem problemas. Agora era só esperar.

Pedimos um café e um prato de frutas.

Mas não consumimos nada. Assim que a bandeja foi entregue, transamos como se fosse a última vez.

O telefone tocou. Era Gerald.

"Estou aqui com o homem da manutenção, ele está... Cacete, ele vai estragar o quadro, ele vai estragá-lo, estou dizendo que ele vai estragá-lo..." Não me preocupei, esse é o estilo de Gerald, um pouco exagerado. Em seguida, depois de alguns barulhos estranhos (ele certamente deixara o telefone cair), ele disse: "Saiu, saiu da moldura, o quadro saiu. O que você quer que eu olhe mesmo?".

"Gerald, é possível que haja uma assinatura, mas num lugar insólito. Sabe quando a tela é dobrada sobre toda a volta do chassi, para que seja possível esticá-la e fixá-la? Pois é, nesses dois centímetros de tela ao redor do chassi, do lado direito de quem olha para o quadro... comece por aí."

Eu estava em frente à janela, nu, e Nicoletta, também nua, estava atrás de mim, apoiada nas minhas costas, escutando a conversa.

"Sim, tem, tem alguma coisa escrita aqui, deve ser uma

assinatura, é pequena, espere que vou tentar soletrar. B, I, C, E, e mais afastado um T."

Era isso, Bice Tornabuoni.

"Gerald, obrigado, pode deixar o quadro aí, não precisa colocá-lo de volta na moldura. Dê vinte dólares para o homem, ok? Ligo amanhã, ou quando voltar a Nova York, e explico tudo, ok?"

Nicoletta agora estava na minha frente e, brincando, começou a me empurrar como numa briga de rua, até que eu, de recuo em recuo, caí na cama. Ela se sentou em cima de mim, um joelho de cada lado:

"O que o tarado do seu pai fez com minha vovozinha, hein?"

"E o que a tarada da sua avó fez com o meu pai, um rapazinho virgem?"

Acabamos deitados, tomados por um acesso de riso.

Ficamos assim, lado a lado na cama por um bom tempo. Até que peguei a mão dela e formulei a questão que talvez ambos temêssemos:

"Sua mãe nasceu quando?"

Nicoletta respondeu imediatamente, como se já estivesse esperando pela pergunta: "Primeiro de maio de 1939".

Não era difícil fazer a conta: nove meses depois do encontro de dona Bice com meu pai. As juras de dona Bice ganhavam um sentido inesperado: "De novo, e mais do que nunca, te prometo que não vou me esquecer de nossos dias. Não tem como", ela escrevera em setembro 1938. Naquela altura, ela devia saber que estava grávida. Grávida da mãe de Nicoletta. E grávida daquela aventura de agosto pelos arredores de Siena.

Nicoletta levantou da cama. Vestiu-se e começou a fazer as malas, sem pressa. Segui seu exemplo. Ela não tinha perdido o senso de humor.

"Em suma", disse, "somos família."
Sorri.
Não falamos mais. Descemos, pedimos o carro e tomamos o rumo de Florença.

No meio do caminho, perguntei:

"Você tem alguma foto de sua avó do fim dos anos trinta, em que apareça o carro que ela dirigia? Sabe que carro era?"

"Tenho, sim. Era um Balilla", ela respondeu.

"Ganhei", eu disse. "Ganhei uma aposta que fiz comigo mesmo."

8. Siena de novo

Nicoletta desceu na Piazza del Duomo, repleta de turistas. Abri o vidro do carro para nos despedirmos. Ela se debruçou na janela e me perguntou o que eu ia fazer.

"Vou para Milão ver o meu irmão e acho que volto para Nova York de lá."

Peguei sua mão e a beijei. Ela esticou os dedos e acariciou meu rosto. Engatei a primeira, e ela foi embora.

Não fui direto para a auto-estrada. Fui primeiro até a via Vacchereccia e estacionei o carro em frente ao Relais Piazza della Signoria, esperando que a polícia fosse generosa com um carro de aluguel. Carregando meu notebook, subi para o último andar, onde fica o escritório do Relais.

Sim, lembravam-se de que eu tinha me hospedado lá fazia pouco tempo. Pedi que me deixassem acessar a internet pela conexão sem fio do hotel. Eles concordaram. Entrei em www.paginebianche.it, a lista telefônica italiana, e procurei por um Carraccio em Siena. Só havia quatro assinantes com esse sobrenome: um escritório e três residências, e numa delas o as-

sinante tinha o nome de Aldo Carraccio. Como era fim de tarde de uma sexta-feira e o escritório devia estar fechado, liguei para a residência.
"Alô? Desculpe, gostaria de falar com o advogado Carraccio, Aldo Carraccio."
"De que se trata?"
"Me chamo Carlo Antonini; o advogado Carraccio não me conhece pessoalmente; quem me mencionou o nome dele, bastante tempo atrás, foi (não era uma mentira) Bice Tornabuoni, que era amiga do advogado Aldo Carraccio."
Uma breve hesitação. "Bice Tornabuoni?"
"Sim, Bice Tornabuoni."
"E como é o seu nome?"
"Carlo Antonini."
"Eu sou Aldo Carraccio."
"Sei que é uma intrusão, mas eu estou em Florença e, se o senhor não se importa, eu poderia dar um pulo em Siena rapidamente. Gostaria muito de encontrá-lo. Seria uma conversa rápida, tomaria muito pouco de seu tempo."
"Pode ser um pouco mais específico?", perguntou ele.
"Sim, claro. Mas vai parecer uma evocação de fantasmas do passado. Posso continuar?"
"Claro, diga." Carraccio, aparentemente, era de poucas palavras, mas, a esta altura, parecia mais curioso que desconfiado.
"Em 1938, o senhor encontrou um grupo de amigos que passaram por Siena, a passeio, e entre eles estavam Bice e talvez dois outros, Maianni e Bellini. Não sei se o senhor tem alguma lembrança disso."
Ele se recordava muito bem: "Que eu me lembre, Bellini não estava, mas Maianni, sim. E havia Dina e o milanês".
A menção ao "milanês" me emocionou e arrepiou.

Era melhor eu dizer logo a verdade: "Sou filho de Pino Antonini e acho que era ele 'o milanês'. Estou tentando reconstituir aqueles dias do meu pai, que já morreu. É só isso".

"Me lembro de Pinin, claro, e daqueles dois dias. E você gostaria, então, de marcar um encontro comigo?"

"Se não for muito incômodo. Como disse, estou em Florença. Posso ir para aí imediatamente."

"Meu caro, tenho oitenta e cinco anos e durmo cedo. Mas, se puder estar aqui amanhã, por que não? Tenho tempo, tempo demais, desde que minha mulher partiu."

"A que horas o senhor poderia me receber? No fim da manhã?"

"Sim, digamos onze horas. Prefiro no escritório, meu filho estará lá, pode anotar o endereço?"

Entendi a referência ao filho e a escolha do escritório como sinais de prudência; afinal, eu podia ser um louco qualquer.

"Sim, por favor, diga, advogado, vou anotar."

"Fica na via Franciosa, número 2. Às onze, então?"

"Às onze, sem falta, e muito obrigado, advogado."

Restava encontrar um hotel em Siena. Não queria voltar para o Grand Hotel Continental; reservei um quarto no Jolly, agradeci ao gerente do Relais e fui embora.

Em Siena, não saí. Não tinha nenhuma vontade de passear pela cidade. Pedi um sanduíche no quarto e liguei para meu irmão, em Milão. Deu caixa postal. Tentei a casa de Veneza, também caixa postal. Tentei o pequeno apartamento de Lugano, na Suíça italiana, onde ele gosta de passar os fins de semana, e ali ele atendeu.

Ele nem sabia que eu estava na Itália. Pedi que me reservasse qualquer hotel perto de sua casa, em Lugano, para duas noites, a seguinte, que seria a de sábado, e a de domingo. Também pedi que informasse à recepção do hotel que eu poderia chegar tarde, à noite. Combinei de vê-lo no domingo, para almoçarmos e jantarmos juntos. Em seguida, liguei para Karina e pedi que fizesse uma alteração na minha passagem de volta. Eu queria partir de Milão, na segunda-feira. Karina também se encarregou de ligar para a locadora e informar que eu devolveria o carro no aeroporto de Milão. Disparei um e-mail para meus pacientes de segunda-feira, comunicando que eu só voltaria ao consultório na terça. Pronto, tudo feito.

Tomei um Lexotan inteiro para dormir sem pensar muito. Acordei por volta das nove e me preparei com calma. Tomei café no hotel e caminhei até o começo da via Franciosa.

"Você é o filho do Pinin? Misericórdia, como o tempo passa", assim me acolheu o advogado Carraccio, que, aliás, estava sozinho no escritório. "Venha, sente-se."

Aceitei o convite e contei por alto a minha história, evitando porém a parte sobre a reencarnação do ajudante de Sodoma, assim como a leitura dos diários e das cartas de dona Bice. Inventei que meu pai tinha me contado várias vezes, ao longo de sua vida, sobre aqueles dias com amigos, ao redor de Siena, antes da guerra. Confessei que eu não havia conhecido Bice e que apenas mentira um pouco sobre isso por ter pensado que ele talvez não se lembrasse do nome de meu pai.

"Tem razão", disse Carraccio. "Mas da Bice ninguém poderia esquecer. Ainda menos o seu pai, hein? Certamente, ele nunca a esqueceu."

"Eles namoraram, é isso?"

"Escute, ninguém namorava a Bice. Mas todos a amavam. Maianni era louco por ela. E havia a Dina, que ninguém sabia ao certo se era a grande amiga de Bice ou algo mais, entende?"

"De Dina nunca ouvi falar."

"Dina, Dina Fornieri. Tinha mais ou menos a idade de Bice, que na época devia ter... trinta e cinco anos, por aí. Ela também restaurava antigüidades, mas sobretudo livros e documentos. Não viviam juntas, mas só faltava isso, era impossível encontrar uma sem a outra. Ninguém nunca soube se eram mais que amigas, mas o rumor existia. Todos, uns mais, uns menos, queríamos namorar a Bice, e ninguém conseguia. Logicamente procurávamos explicações para o nosso fracasso. Às vezes, pensávamos que fosse por causa da Dina. Também imaginávamos que Bice tivesse uma relação amorosa escondida com um homem casado, um homem público ou, então, alguém do povo — uma vida paralela, longe de nós."

"E como foi o encontro com eles? O senhor estava em Siena, e eles chegaram?"

"Sim, era agosto, eu era um moleque, estudante de direito em Florença, e estava passando as férias em casa, aqui em Siena. Eles chegaram de improviso. Ainda me lembro de Bice, de pé, ao lado do seu Balilla, buzinando na frente da minha casa."

"E eles ficaram dois dias?"

"Ficaram, ficaram no Continental. E foi engraçado. Pediram um quarto para as garotas e outro para os garotos, mas a Bice dormia com Pinin, e a Dina dormia com Maianni."

"E o senhor passou esses dias com eles?"

"Quase o tempo inteiro, claro. Ia pegá-los no hotel, e saíamos pela cidade. Seu pai morreu quando?"

"Há doze anos. E não me pergunte por que esperei tanto tempo para tentar reconstruir esta história, por favor."

"Não perguntarei", ele disse sorrindo. "Enfim, seu pai parecia muito apaixonado. Dava pena, conhecendo a Bice. Não que ela colecionasse corações, mas era o tipo de mulher, como posso dizer... uma mulher que não precisa de um homem, que é feita para tocar sua própria vida, entende?"

"Sim, posso entender, claro."

"Troquei algumas idéias com seu pai, mas poucas porque ele estava sempre com a Bice. Eu conversava sobretudo com Maianni, falávamos de política, certamente, e da situação amorosa dos quatro. Maianni achava que seu pai, o Pinin, ia sofrer muito por causa de Bice, até porque ele parecia tão jovem, tão cheio de entusiasmo amoroso. Agora, Maianni estava com ciúme. Dormia com Dina como uma forma de estar com Bice por procuração. Talvez Dina também estivesse com ciúme do seu pai."

"E o que aconteceu com Dina?"

"Pois é, quando Bice teve uma filha, Maria, ela não nos contou quem era o pai. Ela nunca revelou. Para nós, foi a confirmação de nossa suspeita: ela devia ter uma espécie de casamento morganático secreto com algum poderoso. Ou, então, talvez *ela* fosse a poderosa e o pai de Maria uma espécie de jardineiro de Lady Chatterly. Mas o que importa é que todos pensamos que Bice e Dina iam viver juntas e que criariam a filha de Bice. Mas não foi isso que aconteceu. Um mês depois, Dina foi para a Alemanha, com o pretexto de que havia recebido algum tipo de bolsa de estudo. Eu acho que ela fugiu, fugiu de Bice, talvez louca de ciúme da menina que acabava de nascer. E ninguém soube mais nada dela. Ninguém, nem mesmo seus pais."

"Mas o senhor voltou a ver Bice depois daqueles dias?"

"Claro, éramos amigos, até porque eu não tinha muitas segundas intenções com ela. Só algumas..." Riu. "Nós nos vimos sobretudo depois da guerra, quando as águas se acalmaram — é que eu acabei passando algumas férias gratuitas num campo de concentração alemão. Nos encontrávamos

uma vez por ano, mais ou menos. Quando Maria morreu, fui um dos poucos com quem Bice falou da sua dor."
"Então o senhor conheceu Nicoletta, a neta dela?" A pergunta era descabida; em princípio, eu deveria estar interessado na vida de meu pai, não na de dona Bice. Mas eu queria ouvir o nome de Nicoletta, e foi a maneira que encontrei.
"Certamente, conheci Nicoletta quando ela mal sabia caminhar."
Ficamos alguns minutos em silêncio.
Perguntei: "O senhor sabe como Maria morreu?".
Ao ouvir a pergunta, ele se retraiu e sua voz assumiu um tom um pouco seco: "Maria morreu num acidente, foi uma desgraça".
De novo ele mudou o tom de repente e perguntou: "Me satisfaça uma curiosidade... Como seu pai viveu essa história? O que ele falava de Bice?".
Eu queria dar uma resposta na medida do possível sincera e refleti antes de responder. Aldo Carraccio esperou calmamente.
"Foi assim", eu disse por fim, "ele construiu uma vida, amou minha mãe, teve filhos, claro, senão eu não estaria aqui. Mas aqueles dias com Bice ficaram para sempre na sua memória; ele teria dito: 'Como um paraíso terrestre perdido'."
"Posso imaginar", comentou Carraccio, e a nossa conversa tinha, obviamente, terminado.
Saí me perguntando se a mulher de azul no quadro da via Maggio, a nossa Flora, era mesmo, como Nicoletta e eu tínhamos pensado, dona Bice encostada em meu pai, no jovem que havia lhe dado uma filha. Ou então, quem sabe, Flora representasse Dina e o quadro seria uma espécie de duplo retrato dos amores perdidos de dona Bice. Como saber?
Voltei ao hotel, fechei a conta e rumei para Milão e Lugano.

Ao meu irmão não contei nada sobre a leitura dos diários, sobre minha viagem e sobre Nicoletta. Só queria me sentir um pouco em família. Almoçamos, passamos a tarde de domingo juntos, jantamos. Nos abraçamos forte na despedida.

9. Nova York de novo

Uma vez de volta a Nova York, eu devia um telefonema (e vinte dólares) a Gerald. Contei uma história qualquer: a sugestão de um antiquário italiano que teria visto uma foto do quadro, coisa assim. Ele não acreditou, mas teve a amistosa delicadeza de fingir que acreditava.

Também liguei para meu filho, e combinamos que ele viria a Nova York para o Dia de Ação de Graças, no fim de novembro.

No mais, tentei voltar à minha vida de sempre. Sem muito sucesso.

Liguei para Lois, e ela pediu que eu a acompanhasse a mais uma festa privada do Mandingo Club: a inauguração da temporada, que aconteceria na primeira sexta-feira de setembro, numa boate da rua 52, perto da Sétima Avenida. A festa era bastante animada. Meia hora depois de chegarmos, Lois já estava envolvida numa transa com quatro ou cinco homens ou mulheres, não sei bem, a escuridão da sala me impediu de ver detalhes. Subi para o primeiro andar da boate e fiquei contemplando uma loira um pouco acima do peso ajoelhada em frente a uma fila de homens, negros e mulatos, decidida a satisfazê-los oralmente, um a um. Tudo me parecia trivial, chocho, sem graça. Dependendo do estado de espírito, a repetição, no sexo, pode ser extremamente excitante ou extremamente entediante. E eu estava entediado. Voltei para casa.

Lois me telefonou no dia seguinte, e eu não tinha vontade de explicar nada. Disse-lhe que, na festa, eu também tinha tido aventuras incríveis. Ela me contou que o dono do antigo Afrodeeziak, uma espécie de bordel no Harlem, ia abrir um novo clube. E me convidou, insistiu para que eu fosse; ela não gostava de se aventurar sozinha, à noite, acima da rua 125.

Foi a mesma coisa: deixei que Lois se distraísse, fiquei no bar conversando sobre esporte com três caras, tomei uma cerveja e fui embora. Lois encontraria o caminho de volta.

Aos poucos, ela começou a perceber que eu não era mais um bom parceiro para esse tipo de aventura. Depois de mais uma ou duas ocasiões em que aleguei dor de cabeça ou coisa parecida, parou de ligar.

Lucy era mais inteligente; afinal, era o cérebro do Fantasy Club, o clube das fantasias, uma empresa lucrativa, fundada por ela, que realizava fantasias sexuais para clientes abastados. Eu nunca fora seu cliente, mas, depois de um breve caso, tínhamos nos tornado amigos. Ela sentiu na minha voz que eu estava estranho e me convidou para almoçar. Passamos duas horas no Thalia, na 50 com a Oitava Avenida. Lucy me contou as novidades do seu *business* e algumas histórias extravagantes, que talvez ela estivesse inventando só para tentar despertar meu interesse ou meu desejo. No fim do almoço, ela desistiu e me perguntou se eu estava apaixonado. Eu disse que não, que estava pensando em outra coisa. Lucy respondeu que era bem isso que ela queria dizer: se eu pensava em outra coisa é porque estava apaixonado. Ela se levantou e foi embora com um sorriso, me deixando com a conta.

Enfim, Lucy tinha alguma razão. Minha cabeça estava em Florença, na Florença de Brunelleschi, talvez na própria Sacrestia Vecchia, e eu não conseguia nem queria levá-la de volta à Nova York de Lois e de Lucy, que se parecia singularmente com o barroco romano sombrio da Cappella dei Principi.

Em outubro, comecei a escrever esta história. Tinha tempo, eu mal saía à noite, ficava em casa nos fins de semana, a não ser pelas visitas periódicas à Barnes and Noble do Lincoln Center e por um ou outro cinema.

Em novembro, enquanto avançava na redação da história, decidi reler, ou melhor, ler de verdade, de uma vez por todas, as cartas que meu pai e minha mãe trocaram durante o namoro. Abri a caixa de madeira, com a nova chave fabricada pelo serralheiro de Milão, e peguei primeiro as cartas de minha mãe.

Eram cartas de uma garota de dezenove anos que tentava parecer mais vivida do que era. Ela se esforçava, visivelmente, para imitar o estilo áulico, romântico e exaltado de meu pai. Era sua primeira correspondência amorosa; minha mãe deve ter achado que aquele era o jeito certo. O resultado era quase cômico: ela passava o tempo todo, e de maneira abrupta, de um estilo prosaico e concreto, que devia ser o dela, a uma espécie de mimese da agitação sentimental de meu pai.

De certa forma, ela devia ter mantido essa alternância durante todo o resto de sua existência, sem conseguir arrancar o marido de seu sonho romântico nem encontrá-lo no lugar fabuloso onde ele vivia uma outra vida. Sorte nossa, minha e de meu irmão, porque ter ambos, pai e mãe, perdidos na Arcádia teria sido pesado demais.

Ler as cartas de meu pai foi mais difícil, primeiro porque eu estava cansado de seu estilo e também porque, lendo suas juras de amor, não me saía da cabeça uma suspeita de hipocrisia. Quem ele tinha amado, afinal, minha mãe ou dona Bice? Talvez ele estivesse sobretudo apaixonado por seu próprio estilo, que tentara praticar com as duas. Dona Bice o mandou parar com isso. Minha mãe tentou imitá-lo, não conseguiu, mas, no mínimo, pensou que aquele estilo fosse sinal de um espírito que lhe inspirava admiração e amor. Ele devia gostar de minha mãe também por isso, porque ela era uma reserva de admiração infinita e garantida.

No envelope da última carta enviada por ele, escrita pouco antes do casamento, no fim de 1940, uma surpresa: uma carta diferente, nem dele nem dela. Era uma carta de dona Bice, de duas páginas, datada de 5 de agosto de 1974. Desta vez, ele tinha achado um esconderijo ideal: a caixinha da qual só ele tinha a chave, uma chave que nem eu nem meu irmão havíamos encontrado depois da morte dele.

Abri a carta em cima de minha mesa, fiz um café e me sentei para ler com calma.

Pinin, meu caro,
Tudo indica que este endereço vale ainda. O meu também não mudou.
Faz trinta anos que não lhe escrevo.
Mas me parece que você esteve sempre comigo.
Ontem, minha filha Maria se suicidou, e preciso te falar de minha dor. Ela me deixa uma neta, Nicoletta, que tem apenas dois anos e que será minha razão de viver mais um pouco.
Do pai de Nicoletta eu nunca gostei, mas você tem filhos e sabe como é. A gente faz vista grossa. Ele era militante de Lotta Continua; logo que Maria ficou grávida, ele foi ainda mais para a esquerda, caiu

na clandestinidade e nunca mais apareceu. Não sei até hoje se fugiu da Maria e da filha que estava para nascer ou se foi atrás de suas idéias. Alguns dizem que ele morreu, mas é quase certo que se exilou para fugir da polícia italiana, deve ter ido para a França, Paris, provavelmente. Desde então, nunca mais soubemos dele.

O que aconteceu, Pinin? Não digo entre nós, mas no mundo. Sei que você fez a sua parte, e eu fiz a minha. Mas teríamos preferido tomar um vinho com pão numa manhã qualquer, em Montalcino, ou mesmo ao lado de casa. Qualquer coisa teria sido melhor do que ir à luta. Fizemos o que fizemos porque não dava mais, não dava mesmo. Eles nos roubavam o ar, a vida.

Quando eu conversava com o Giorgio (esse era o nome do rapaz) e escutava suas idéias confusas, parecia-me que suas escolhas eram ditadas por uma única razão: ele não conseguia achar graça na vida como ela é. Não sabia trocar duas palavras com o vizinho ou ficar parado para não incomodar o passarinho que pousa na mesa do restaurante. Não cantarolava no banho. Não sabia o que era a alegria de esbarrar num quadro, num desenho, num edifício que nos comove; não sabia nada da beleza.

Para que a vida tivesse graça, era como se ele precisasse brincar com fogo.

Há uma geração, Pinin, que perdeu o entusiasmo de viver. Eles não conseguem encontrar nas esquinas do dia-a-dia o punhado de aventura que é necessário para colorir a vida. Pagam qualquer preço para se envolver numa história que lhes dê a ilusão de fazer parte da História.

Tenho tanto medo que Nicoletta siga esse exemplo que não lhe disse quase nada sobre o pai dela. Também mentirei sobre a morte da mãe. E continuarei mentindo. Direi, quando for a hora, que Maria morreu no atentado do trem Italicus, *que aconteceu ontem.*

Maria se deu um tiro ontem à noite, no caminho que sobe para a Piazza Michelangelo. Levou consigo uma arma que devia pertencer a Giorgio e que eu nem sabia que estava em casa. Maria se matou.

Por quê? É a pergunta que me faço. Só tenho respostas idiotas e culpas das quais nunca conseguirei me livrar.

Só espero não ter estragado a sua vida assim como estraguei a minha.

Tarde demais, mas eu precisava te dizer isto: Maria nasceu em 1º de maio de 1939. E Nicoletta tem os olhos azuis de um homem que eu amei.

Sou velha para te mandar um beijo de adeus. Então, um aperto de mão,

Bice

Em 1974, então, meu pai ficou sabendo que tinha uma filha de trinta e cinco anos e que essa filha acabara de se matar. Será que ele tinha respondido à carta? Será que tinha tentado conhecer a neta?

Se ele respondeu, dona Bice certamente não guardou a carta. Ela não gostaria que Nicoletta a encontrasse um dia.

Mas me parecia mais provável que ele não tivesse respondido. Descobrir que tinha uma filha e perdê-la ao mesmo tempo, isso era algo que podia acontecer do lado de cá, na vida real, a que ele vivia conosco. Aqui ele encararia esse horror, sem problemas. Mas receber da Arcádia notícias tão reais devia ser intolerável.

A monografia de Hayum sobre Sodoma, que eu tinha encontrado em sua biblioteca, ele só podia ter adquirido depois de 1976, data em que foi publicada. Em suma, dois anos depois da carta de dona Bice, meu pai seguia lendo as histórias de Sodoma, fiel à sua vida "pregressa" de aprendiz pintor. Ele não tinha permitido que a carta destruísse sua Arcádia.

Em Florença, deviam ser seis da manhã. Resisti à tentação de telefonar para Nicoletta. Também, no dia seguinte, resisti à tentação de lhe escrever. A carta de dona Bice, que à primeira vista parecia uma boa razão para entrar em contato com Nicoletta, seria apenas um pretexto para ouvir sua voz ou para forçá-la a me escrever.

Achei melhor que a carta permanecesse um segredo. Mas não a destruí. Dobrei-a assim como tinha sido dobrada originalmente e enfiei-a no mesmo envelope. Amarrei as fitas e fechei a caixa com sua nova chave. Em suma, deixei para meu filho a tarefa de jogar tudo fora depois de minha morte.

No dia seguinte, acordei muito cedo, depois de apenas umas poucas horas de sono. Em Siena era meio-dia, e liguei para Aldo Carraccio.

"Carlo Antonini, quais as novidades?", ele perguntou cordialmente.

"Advogado", eu disse, "tem uma coisa que não lhe contei quando nos encontramos. Eu sei que Maria não morreu num acidente, sei que Bice inventou a versão do *Italicus* e que Maria se matou."

Houve um longo silêncio. "O senhor está na linha?", verifiquei.

"Sim, estou aqui, mas deixe eu lhe perguntar uma coisa, Antonini: esta história não está indo um pouco além da vontade de reconstituir um amor de seu pai quando jovem? O que a morte de Maria tem a ver com isso?"

A pergunta era legítima. E, mais uma vez, eu não tinha muito o que dizer além da verdade. Disse:

"Advogado, eu preferiria fazer a viagem e lhe dizer isto pessoalmente, mas estou ligando de Nova York, onde moro, e não estarei em Siena tão cedo. Então vou lhe dizer por telefone mesmo: tenho uma série de razões para supor que Maria era minha irmã. A começar pelo fato de que ela nasceu no dia 1º de maio de 1939." A palavra irmã soava estranha, inadequada. Eu nunca tive "irmãs".

No silêncio, quase dava para ouvir Carraccio fazer cálculos. Acrescentei, mentindo um pouco por omissão: "Não sei se meu pai chegou a saber que tinha uma filha. Só quero entender melhor como ela morreu, apenas isso. E o senhor me disse que conversou com Bice logo depois da morte de Maria".

"É verdade", disse Carraccio. "O que posso lhe dizer além do que você já sabe? Para Bice foi terrível. No fundo — digo no fundo porque Bice não era de falar muito —, acho que ela se culpava. Não tanto por ter criado Maria sozinha; Bice não teve escolha. Ela não conseguiria se casar ou viver com um homem. Talvez conseguisse, se fosse hoje; mas nos anos trinta? Ela não era feita para isso. Ela se culpava como qualquer mãe que perde uma filha dessa maneira: achava que não tinha cuidado de Maria como deveria. E nem sei se é verdade..."

"O fato é", eu disse, "que Maria ficou grávida e sozinha depois que o marido sumiu."

"Marido em termos, eles não eram casados. Não digo no papel, isso não seria relevante; quero dizer que duvido que eles tenham sido em algum momento um casal. Por isso não acho que o sumiço do rapaz de Maria seja muito importante para entender o que aconteceu. Conhecendo Bice como eu a conheci, me ocorre outra idéia. Acho que Maria queria ser como a mãe, em tudo. Posso até imaginar que ela deu um jeito de engravidar de um homem que sumiria, justamente para criar sozinha o filho ou a filha que teria, assim como ela tinha sido criada por Bice. Sem ter conhecido Bice, é difícil entender, mas Bice era dessas pessoas que levam os outros a dizer: 'Quando eu for grande, quero ser como ela'. Se isso valia para os amigos, imagine para a filha. Não digo que Maria se matou porque nunca conseguiria igualar a mãe, mas que essa sensação devia pesar, devia."

Ficamos em silêncio, ouvindo a respiração um do outro.

"Advogado Carraccio, muito obrigado; pode parecer pouco, mas foi bom falar com o senhor."

"Tudo bem, Antonini, e se cuide, viu?" Ele ainda me chamou antes que eu desligasse: "Antonini?".

"Sim?"

"Seu pai era uma figura generosa e bonita, passava a impressão de ser uma pessoa íntegra; só era muito jovem. Muito jovem para esta história."

"Acho que sim", disse, "espero que nos vejamos de novo, advogado."

"Claro, quando passar por Siena, apareça. Se eu ainda estiver vivo..."

"Claro que vai estar, advogado. Um abraço."

A visita de meu filho, no fim de novembro, foi uma delícia. Passeamos e conversamos o tempo inteiro. Mas não consegui lhe contar a história do avô dele e de dona Bice. Além do mais, ficamos juntos apenas um fim de semana, não houve tempo suficiente. Quem sabe um dia ele viesse a ler o que eu estava escrevendo.

Passei dezembro e janeiro redigindo a história de meu pai, de Sodoma, de dona Bice, de Nicoletta e de mim, aos poucos. Trabalhava só depois da meia-noite. Geralmente, quando encerrava minhas consultas, ia ao cinema. Assistia a qualquer filme e sempre na rua 42, perto de Times Square. Não queria, na saída, encontrar calçadas vazias e ter a sensação de que todos já tinham voltado para casa.

10. Paris

Num domingo modorrento de janeiro, no caderno de viagem do *New York Times*, li um anúncio tentador: na semana seguinte, uma passagem para Paris em oferta, ida e volta em três dias por duzentos e oitenta e nove dólares. Era um bom momento para um pequeno corte. Consultada, Karina atestou que a companhia era confiável e sugeriu que eu comprasse o bilhete diretamente.

Comprei e, por milagre, consegui uma reserva no Hotel Esmeralda, na rue Saint Julien-le-Pauvre, às margens do Sena. Foi preciso ligar para Monsieur Alejandro, o senhor peruano que dirige o hotel há trinta anos — a reserva só pode ser feita com ele, pois o hotel não se modernizou e não tem acesso à internet.

Na segunda-feira da semana seguinte, dois dias antes de viajar, decidi que, como eu estaria mesmo em Paris, poderia fazer uma pequena tentativa investigatória. À noite, fui ao meu depósito no Manhattan Mini Storage. O metro quadrado nova-iorquino é caro, e as pessoas alugam espaços de sete ou oito metros cúbicos para guardar o que não cabe em casa.

Pedi ao zelador que mandasse dois homens subir comigo, para me ajudar. Uma boa providência: eles retiraram meus apetrechos de esqui, uma mesa, uma poltrona e dois tapetes que tinham sobrado da mudança anterior, e assim cheguei às caixas de livros e documentos. Sabedoria (inusitada) da minha parte foi eu ter deixado indicado no exterior de cada caixa, em letras de forma, seu conteúdo. Encontrei com facilidade as duas caixas que procurava, classificadas como "Paris Documentos". Numa delas, achei minhas velhas cadernetas de endereço. São as únicas coisas que tento não perder ao longo do tempo e das mudanças.

Vivi em Paris durante os anos 1970 e boa parte dos 1980. Nos 1970, acabei sendo o terapeuta de alguns jovens italianos foragidos, ex-guerrilheiros da luta armada; aconteceu fatalmente, por eu ser um dos poucos profissionais que falavam a língua. Só um desses jovens tinha ficado comigo bastante tempo e, de certa forma, fizera as pazes com seu passado: Antonio Serpieri. O número do telefone dele estava lá, na caderneta. Não havia endereço, mas eu me lembrava que, na época, ele morava num pátio da rue Oberkampf, no décimo primeiro *arrondissement*. Eu não sabia o número, mas, se fosse necessário, reconheceria facilmente o lugar, pois o pátio tinha sido durante anos uma espécie de comunidade onde moravam pintores e nostálgicos da contracultura que fabricavam bolsas e bijuterias. Também havia poetas quase mendigos e, enfim, um grupo de foragidos italianos.

As chances eram mínimas. Mesmo assim, no dia seguinte, terça-feira, dei um telefonema.

"Bom dia, gostaria de falar com o senhor Serpieri, Antonio Serpieri, por favor."

"Antoine, quem?" — disse um homem.

Afrancesei o nome: "Antoine Serpierí".

"Não tem ninguém com esse nome." E o homem desligou.
Liguei de novo, imediatamente:
"Desculpe, sou eu de novo, acabei de ligar. Por favor, escute, quero uma informação justamente para não incomodá-lo mais. Pode ser?"
"O quê?"
"Você tem este telefone há muito tempo?"
"Muito tempo, quase cinco anos."
"Esta linha era de um grupo de italianos. Não é mais deles?"
"Não tem italianos aqui." E desligou de novo.

Naquela época, um pintor amigo meu morava nesse mesmo pátio da rue Oberkampf. Tínhamos até viajado juntos uma vez. Chamava-se Émile Fragonard, inesquecível: um artista expressionista e abstrato com sobrenome de pintor rococó do século XVIII... Tentei o número dele.

"*Le número que vous avez demandé n'est plus attribué...*"

O número não pertencia mais a ninguém. Mas, no caso de Émile, poderia haver outro meio de encontrá-lo. Na minha caderneta eu guardara também o telefone da casa dos pais dele, em Neuchâtel, na Suíça, onde, aliás, eu já havia me hospedado, quando eu e Émile, durante uma viagem de esqui, fizéramos um pequeno desvio, pernoitando por lá.

Se estivessem vivos, havia uma boa chance de encontrá-los no mesmo lugar. Idosos e suíços, certamente não deviam ter mudado de casa nem de linha telefônica.

"Madame Fragonard? É Carlo, Carlo Antonini, a senhora se lembra de mim?"
"Carlo?"
"Sim, estive na sua casa, em 1983, acho, com Émile; estávamos a caminho do Valais."
"Claro que me lembro. Você está bem, Carlo?"

"Muito bem, e a senhora?"
Restabeleci o contato trocando notícias. Ela me informou que o marido havia morrido dois anos antes; dei-lhe meus pêsames e perguntei de Émile. Ele ainda estava em Paris?
"Ele está aqui comigo."
"Que sorte. Eu poderia falar com ele, Madame Fragonard?"
"Mas claro, ele está vindo."
Contamos um ao outro a versão abreviada de nossa vida nas últimas décadas. Três anos antes, a comunidade do pátio da rue Oberkampf tinha perdido definitivamente sua batalha legal com o proprietário, que queria recuperar o local, reformar e estabelecer aluguéis por valores mais altos. Émile tinha viajado um pouco pelo mundo e, depois da morte do pai, voltara a Neuchâtel, para não deixar a mãe sozinha. A julgar pelo seu tom de voz, ele parecia cansado, mas longe de vencido. Os italianos também tinham deixado a mansarda na qual viviam. Ele se lembrava de Antonio, claro; segundo as últimas notícias, que eram de três anos antes, ele estava bem e com certeza não saíra de Paris; de qualquer forma, ele ainda vivia sem passaporte, tinha estatuto de refugiado político. De vez em quando, a Justiça italiana tentava extraditá-lo, preguiçosamente e sem sucesso. Émile não sabia onde Antonio morava, mas era provável que ele ainda trabalhasse num pequeno sebo da rue du Chemin Vert, uma paralela da rue Oberkampf, quase na esquina com a rue St Maur.

Era tudo que eu precisava. Prometi a Émile que, logo que eu pudesse, passaria por Neuchâtel para visitá-lo. Também trocamos e-mails.

Parti para Paris na quarta-feira à noite. No final da manhã de quinta-feira eu deixava minha mala no Hotel Esmeralda e atravessava o Sena pela Pont Saint Michel. Passei em frente ao prédio em que morei, no boulevard du Palais, e continuei até pegar a rue de Rivoli à direita, em direção à Place de la Bastille. De lá, subi o boulevard Beaumarchais até a rue du Chemin Vert. Avancei devagar à procura do sebo, que de fato ainda existia, e na altura indicada por Émile. Parei em frente à vitrine: Antonio não estava na loja, só havia uma mulher. Memorizei o telefone do sebo, que estava escrito num folder colado ao vidro da porta. Continuei pela rue du Chemin Vert até encontrar um café, pedi um expresso e dali liguei para a loja.

"Bom dia, eu queria falar com Antonio, por favor."

"Antoniô?"

"Sim. Antoniô."

"Mas hoje ele está de folga; só volta amanhã. Quem quer falar com ele?"

Os foragidos são pessoas desconfiadas. A última coisa que eu queria é que o telefonema soasse de alguma forma ameaçador. Caso se intimidasse, Antonio sem dúvida sumiria por algum tempo. Então eu disse (Émile me perdoaria):

"Aqui é Émile, Émile Fragonard, um velho amigo da rue Oberkampf, estou de passagem por Paris". Não quis perguntar a hora em que o sebo abria, preferi chutar. "Ele vai estar aí amanhã, a partir das dez, como sempre?"

"Sim, mais ou menos, até antes, Antoniô chega cedo, na sexta é ele quem abre a loja."

"Ok, passo aí amanhã então."

"Ok, direi que você ligou."

"Claro, obrigado, até logo."

Voltei ao Esmeralda, tomei um banho e dormi a tarde toda. À noite, fui para a Shakespeare and Co, a velha livraria quase ao lado do hotel. Ouvi um poeta irlandês declamar seus longos poemas, uma imitação medíocre de Dylan Thomas, e só pude classificar como revoltante o vinho que circulava generosamente. Mas o ambiente, como sempre, era simpático.

Na manhã seguinte acordei cedo, queria estar na rue du Chemin Vert às nove.

Antonio chegou às nove e meia e abriu a loja. Engordara mais do que envelhecera. Entrei imediatamente atrás dele.

"Antonio?"

Ele me olhou, tenso. Levou um momento para me reconhecer.

"Você? Doutor Antonini? Que surpresa!" Ele estava um pouco desconcertado. "Está aqui por acaso?", perguntou com certa desconfiança.

"Na verdade, não. Pedi notícias de você a Émile. Lembra dele?"

"Sim, claro, da rue Oberkampf."

"Pois é, vim passar uns dias em Paris e perguntei de você a Émile; ele me disse que você trabalhava aqui. Como vão as coisas?"

Antonio estava bem, ótimo; tinha refeito a sua vida e levava dias tranqüilos, lendo e vendendo livros.

"Fico feliz de ver que você está bem, Antonio."

"Mérito seu também", ele disse generosamente, "mas imagino que você não tenha vindo só para verificar a estabilidade de seus sucessos terapêuticos..."

Queria tocar no assunto antes que alguém mais entrasse na loja. Agora era o momento.

"Obrigado, e você tem razão: estou precisando de uma pequena ajuda."

"Se eu puder..."

"É que estou procurando informações sobre uma pessoa dos velhos tempos, dos anos setenta, um italiano."

"Doutor Antonini, você por acaso não está trabalhando com a polícia italiana, está?"

Ri sinceramente: "Não, Antonio, não. Garanto-lhe que é um assunto particular".

"Porque, sabe, a Itália só me deixa em paz se eu fico bem quietinho. Se conseguirem provar que eu sou uma testemunha fundamental de alguma história daquela época, vai ser o suficiente para tentarem me extraditar de novo. E você sabe, você mais que ninguém sabe que eu posso ter feito uma ou duas cagadas, mas não tenho mais nada a ver com aquilo; estou fora disso há tempos."

"Sei, Antonio, sei. Juro que é uma questão estritamente pessoal. De qualquer forma, talvez você nem tenha conhecido a pessoa que me interessa."

"Você não está gravando, está?"

"Dou minha palavra que não; pode me revistar se quiser."

"Sua palavra me basta." Antonio olhou para a rua, ninguém parecia interessado na loja ou em nossa conversa. "Diga, então."

"Será que você conheceu, nos anos setenta ou mais tarde, um Giorgio Scalia, de Florença?"

"Scalia não sei, os sobrenomes não costumavam ser muito mencionados. Mas um Giorgio, de Florença, acho que sim. Andou por aqui nos anos setenta, mas não era propriamente um foragido, ele ia e vinha como queria. Não sei se ele participou de alguma ação na Itália, mas era um babaca."

"Como assim, um babaca?"

"Um cara que se considerava mais do que era. Diziam que ele trazia grana para vários foragidos e exilados importantes. Para mim nunca trouxe nada, claro, eu era peixe pequeno. Peixe nenhum. Talvez trouxesse grana também para as contas que estavam aqui ou na Suíça, não sei."

"Grana que vinha da Itália?"

"Não tenho idéia de onde vinha a grana, não tenho mesmo." Antonio articulava as palavras com clareza, como se quisesse que uma eventual gravação resultasse nítida, sem margem para mal-entendidos.

"Antonio, eu não estou gravando."

Ele sorriu. "Acho que você faz bem idéia de toda a chateação que eu passei."

"Faço, sim, me lembro bem das dificuldades que você enfrentou quando estava se tratando comigo. Antonio, não é uma armadilha, só preciso saber mais sobre esse tal Giorgio."

"Pois é, ele era um babaca. E, se quer saber, a grana que ele trazia não tinha bom cheiro, não." Desta vez ele se debruçou sobre a mesa que nos separava e falou baixo: "Além do mais, ele se relacionava com um tal Virginio Nitti, que era um sacana de marca maior".

A surpresa foi brutal: "Nitti?", estranhei. O que era aquilo? O pai de Nicoletta com o filho de dona Filomena?

Obviamente, Antonio notou minha reação: "O que é, doutor, parece que viu um fantasma".

Não respondi, não tinha como explicar. Perguntei: "Mas Nitti não era um fascista, um cara de direita?".

"Claro, todo mundo sabia que Nitti comandava o esquema da grana de direita. O esquema dos hospitais."

"Como assim, dos hospitais?"

"Doutor, todo mundo sabe, ninguém provou, mas todo mundo sabe de onde vinha uma parte da grana dos golpistas nos anos setenta. A polícia sabe, mas, olhe só que curioso, ninguém nunca fez nada. Quem quisesse, já nos anos sessenta, pagava cinco milhões de liras e, nos grandes hospitais militares, conseguia uma visita médica que dispensava o sujeito do serviço obrigatório. Com o tempo, a tarifa deve ter aumentado. Era muita gente: uma nota e tanto, que ia direto para as tramas pretas, em contas na Suíça ou sei lá mais onde. Nitti regia essa orquestra. A polícia também já sabe de toda essa história, não precisam de mim para isso."

Eu ainda não entendia bem: "Mas o que Giorgio tinha a ver com Nitti?", perguntei.

"Doutor, você não entendeu que, nos anos de chumbo, a extrema direita e a extrema esquerda, no fundo, queriam a mesma coisa?"

"Antonio, por favor, não venha com a lengalenga da confluência do projeto antidemocrático..."

"Claro que não. Isso é para os livros de história, doutor. Os livros ruins, aliás. Você, especialmente você, sabe do que estou falando. O que todos queriam era apenas ser super-homens com uma pistola e se dar bem com os companheiros do grupo tático. Companheiros ou camaradas, tanto faz."

"Isso, sim; era isso mesmo o que aparecia, até nas suas falas daquela época", concordei.

"As idéias podiam ser diferentes, mas no fundo era a mesma coisa para todos: a vontade de ter uma vida trágica e grandiosa — e uma morte igual. E a grana circulava. Giorgio a fazia circular do lado de cá, Nitti do lado de lá."

"E o Giorgio, como ele acabou?"

"Não faço idéia, mas posso imaginar."

"Ou seja?", perguntei de novo.

"Doutor, alguém naquela posição, um dia aqui, outro ali, vai enfiando uma graninha no próprio bolso. Ninguém se dá conta. Assim ele vai tocando. E sabe onde isso vai dar? Duas possibilidades. Ou o cara junta uma bolada e se contenta, some para sempre, vai para a Indonésia ou coisa que o valha, com uma contazinha bancária simpática que vai sustentá-lo por um bom tempo. Ou então o cara não se contenta e continua na ativa, roubando até levar um tiro na nuca e terminar seus dias servindo de petisco para os peixes do Sena."

Ficamos em silêncio. Antonio acrescentou: "Doutor, se um cara desses estivesse por aqui, só de escutar a gente ele meteria um tiro na nossa testa, entendeu?".

"Entendi", eu disse. "Que tal almoçarmos juntos?"

"Seria um prazer, mas não deixo a loja sozinha e não fecho ao meio-dia. Foi bom revê-lo, doutor."

"Digo o mesmo, Antonio. E obrigado."

"Eu é que agradeço, e..."

"E...?"

"Se cuide, doutor, não faça besteiras."

Dei a volta na mesa atrás da qual ele tinha ficado durante toda a nossa conversa e trocamos um abraço.

Almocei num café na rue Saint Antoine e caminhei a esmo, ao longo do Sena, até que esbarrei na nova Bibliothèque Nationale. Entrei, sentei na sala dos catálogos. Era um bom lugar para me perguntar: quero saber mais ou paro por aqui? Eu poderia, por exemplo, ligar para Alessandro, meu amigo comissário, ou encontrá-lo em Milão. Talvez ele conseguisse ajudar a desenterrar um pouco os corpos de Giorgio Scalia e de Virginio Nitti. Mas para quê?

No dia seguinte, voltei a Nova York. Retomei a rotina dos últimos meses: consultório, um cinema solitário na 42, silêncio com os amigos. À noite, eu escrevia este relato.

11. Nova York ou Florença

É março, começo de março, terminei de escrever. Não sei qual será o futuro deste manuscrito. Se o publicasse, deveria primeiro comunicar a Nicoletta alguns fatos dolorosos que descobri e que ela ignora.

Nos últimos dias, nos canais de notícias e nos jornais, aparecem imagens de trens desventrados que me fazem pensar no *Italicus*, onde Maria não morreu, mas onde Nicoletta acha que ela morreu.

É um pano de fundo que pouco tem a ver com os cenários dos quadros renascentistas que meu pai venerava porque, neles, imaginava seus encontros com a mulher que ele havia amado durante seis dias, que foram os melhores de sua vida. O noticiário tem mais a ver com os cadáveres e as chamas no fundo dos quadros de Bosch, que pintava também na Renascença, mas em outro lugar, não na Toscana.

É um domingo, de manhã. Sento ao computador e escrevo um e-mail para Nicoletta.

To: nicoletta @kunstinstitut.org
Subject: contato
   Oi, madona florentina, o inverno foi longo, frio e solitário. E acho que não acabou. Não sei se vai acabar. Tento, mas não me reencontro.
   Só uma sensação, um medo: será que Florença será para mim o que Monte Oliveto foi para meu pai? Colecionarei livros sobre Brunelleschi, de todos os séculos, que meus descendentes venderão um dia num grande leilão, sem saber por que eles estavam na minha estante.
   A não ser que, no leito de meus últimos dias, meu filho faça a minha barba e eu lhe conte que, numa encarnação anterior, fui pedreiro de Brunelleschi, quem sabe quando ele construía a Sacrestia Vecchia de San Lorenzo.
   Talvez meu filho queira saber mais e acabe encontrando a sua filha — isso, se um dia você tiver uma. Gostaria que eles descobrissem que, no passado, na Cappella dei Principi, eu disse a uma mulher que a amava e que sua presença me transformava.
   Uma dúvida: será que eu disse? Será que consegui dizer?
   Bom, de qualquer forma, talvez meu filho e sua filha, ao se encontrarem, não descubram nenhuma razão que os impeça de se amar, se quiserem.
   Um beijo,
   Carlo

    Deve ser cinco da tarde em Florença. Não quero ficar parado na frente do computador, esperando uma resposta. Também não quero que um *spam* qualquer me cause um sobressalto. Saio, vou até a padaria francesa da Sétima com a 58, para tomar um cappuccino e ler o jornal de domingo, de cabo a rabo.

Estou de volta. São três da tarde. Nove da noite em Florença. Claro, a bandeirinha do e-mail está levantada, mas pode ser qualquer coisa. Abro meu e-mail:

> To: carloantonini@aol.com
> Subject: Re: contato
> Oi, tio da América, aqui também o inverno foi longo, cinza e sem graça.
> Mas, atravessando o Arno hoje de manhã, senti um vento mais clemente e tive vontade de tirar o casaco.
> Então, onde será a nossa primavera, em Nova York ou em Florença?
> Beijo, Nicoletta

Vou até a janela. Em cima do Central Park o céu parece especialmente cinza. O relógio do Money Building anuncia 32 Farenheit, zero Celsius. Nesse instante, alguns primeiros tímidos flocos de neve começam a esvoaçar atrás do vidro. Aciono o ventilador para aumentar a calefação.

Faltam quase quinze dias para o começo da primavera, mas é melhor não correr riscos.

Sento-me e, embora seja domingo e ela também tenha o direito de descansar, ligo para Karina, a minha agente de viagem. Afinal, foi para momentos como este que ela me deu o número de seu celular.

1ª EDIÇÃO [2008] 6 reimpressões

ESTA OBRA FOI COMPOSTA POR RITA DA COSTA AGUIAR EM MERIDIEN E IMPRESSA PELA GEOGRÁFICA EM OFSETE SOBRE PAPEL PÓLEN BOLD DA SUZANO S.A. PARA A EDITORA SCHWARCZ EM NOVEMBRO DE 2021

MISTO
Papel produzido a partir de fontes responsáveis
FSC® C019498

A marca FSC® é a garantia de que a madeira utilizada na fabricação do papel deste livro provém de florestas que foram gerenciadas de maneira ambientalmente correta, socialmente justa e economicamente viável, além de outras fontes de origem controlada.